COMO GANHAR UMA ELEIÇÃO

COMO GANHAR UMA ELEIÇÃO

Um manual político da Antiguidade
Clássica para os dias de hoje

Quintus Tullius Cicero

Traduzido do latim por Amós Coêlho da Silva

Todos os dias, enquanto estiver descendo para o Fórum, pense consigo mesmo: "Sou um homem novo, quero o consulado, Roma é a meta!"

© 2012 by Philip Freeman
© Bazar do Tempo, 2018
Título original: *How to Win an Election: An Ancient Guide for Modern Politicians*
e publicado no Brasil mediante acordo com a Princeton University Press.
Baseado no texto clássico *Commentariolum Petitionis*.

Todos os direitos reservados e protegidos pela Lei n. 9610 de 12.2.1998.
É proibida a reprodução total ou parcial sem a expressa anuência da editora.

Este livro foi revisado segundo o Acordo Ortográfico da Língua Portuguesa de 1990, em vigor no Brasil desde 2009.

EDITORA Ana Cecilia Impellizieri Martins
COORDENAÇÃO EDITORIAL Maria de Andrade
INTRODUÇÃO Philip Freeman
POSFÁCIO Newton Bignotto
TRADUÇÃO DO LATIM Amós Coêlho da Silva
TRADUÇÃO DO INGLÊS Léa Süssekind Viveiros de Castro
REVISÃO TÉCNICA Bruno Torres dos Santos
COPIDESQUE Rosemary Zuanetti
REVISÃO Luiz Coelho e Elisabeth Lissovsky
PROJETO GRÁFICO E CAPA Jair de Souza e Natali Nabekura
DIAGRAMAÇÃO Estúdio Insólito
IMAGEM DA CAPA Busto de Marcus Tullius Cicero. Autor desconhecido, Roma Antiga. Museu Chiaramonti, Vaticano.
AGRADECIMENTO Heloisa Murgel Starling e Deonísio da Silva

C568c Cicero, Quintus Tullius.
Como ganhar uma eleição: um manual político da Antiguidade Clássica para os dias de hoje / Quintus Tullius Cicero; introdução Philip Freeman; posfácio Newton Bignotto; tradução Amós Coêlho da Silva. – Rio de Janeiro (RJ): Bazar do Tempo, 2018.
128 p. : 12,5 x 18 cm

Inclui bibliografia
Título original: *Commentariolum Petitionis*
ISBN 978-85-69924-41-8

1. Campanha eleitoral. 2. Roma – Política e governo – Obras anteriores a 1800. I. Bignotto, Newton. II. Silva, Amós Coêlho da. III.Título.

CDD 324.720937

Elaborado por Maurício Amormino Júnior – CRB6/2422

BAZAR DO TEMPO
Produções e Empreendimentos Culturais Ltda.

Rua General Dionísio, 53 - Humaitá
22271-050   Rio de Janeiro - RJ
contato@bazardotempo.com.br
www.bazardotempo.com.br

SUMÁRIO

Introdução 9
Philip Freeman

Breve comentário sobre a candidatura 23
Quintus Tullius Cicero

O resultado das eleições 93

Glossário 95

*Eleições, desde a Roma Antiga,
um jogo de poder, paixão – e corrupção* 103
Newton Bignotto

Bibliografia sugerida 125

INTRODUÇÃO
Philip Freeman

No outono de 64 a.C., Marcus Tullius Cicero, o maior orador que a Roma Antiga produziu, estava concorrendo a cônsul, o cargo mais alto na República romana. Ele tinha quarenta e dois anos e era filho de um rico negociante da pequena cidade de Arpinum, ao sul de Roma. Seu pai tinha providenciado para que Marcus e seu irmão mais moço, Quintus, recebessem a melhor educação possível e tinha até mandado os rapazes para a Grécia para estudar com os mais notáveis filósofos e oradores da época.

Marcus era um orador talentoso e possuía uma inteligência brilhante, à altura da sua língua de ouro. O que lhe faltava era a vantagem de um berço nobre. A sociedade da Roma Antiga era altamente classista e considerava homens como Marcus Cicero inadequados

Introdução originalmente publicada em *How to Win an Election: An Ancient Guide for Modern Politicians*. New Jersey: Princeton University Press, 2012.

para presidir a República. Ele estava determinado a provar que estavam enganados.

O jovem Marcus tinha completado um ano rotineiro no serviço militar sob o comando do pai do futuro general romano Pompeius, o Grande, que um dia iria defender o estado contra Julius Caesar. Este Pompeius, mais jovem, se tornou patrono de Marcus e o ajudou em sua subsequente carreira política. Aos vinte e cinco anos, Marcus venceu sua primeira causa no tribunal romano, defendendo um homem bem relacionado de acusações de assassinato. Sua reputação cresceu nos anos seguintes conforme ele representou com sucesso muitos homens importantes – vitórias que também o ajudaram a galgar posições políticas na República. Ele já tinha servido admiravelmente nos cargos prestigiados, mas de segunda linha, de questor e pretor. Entretanto, nenhum homem fora das famílias nobres havia sido eleito cônsul em trinta anos, tornando improvável a conquista deste objetivo por parte de Marcus.

No entanto, em 64 a.C., os outros candidatos a cônsul – mais notadamente Antonius (conhecido como Hybrida) e Catilina – eram tão repulsivos que alguns

INTRODUÇÃO

dos membros da nobreza taparam o nariz e apoiaram Marcus Cicero. Ainda assim, a ideia de um forasteiro vindo de uma cidade pequena se tornar um dos dois cônsules a governar a velha República, a liderar milhões sobre as terras mediterrâneas, era demais para muitas das famílias de sangue azul. Marcus teria que enfrentar uma campanha longa e difícil se quisesse vencer.

A essa altura, Quintus, o mais prático, decidiu que seu irmão mais velho precisava de conselho. Quintus era quatro anos mais moço do que Marcus. Tinha um temperamento fogoso e, às vezes, cruel. Embora ofuscado por seu irmão mais velho, ele era ferozmente leal a Marcus e reconhecia que o sucesso do irmão iria abrir caminho para sua própria fama e fortuna. Ele tinha até se casado com a obstinada Pompeia, irmã do melhor amigo de Marcus, Atticus, e tinha tido um filho com ela dois anos antes, embora o casamento fosse sempre instável.

Como a campanha para cônsul estava começando, Quintus escreveu um curto panfleto para Marcus sobre campanha eleitoral na forma de uma carta. O resultado é um texto pouco conhecido que, de alguma forma, sobreviveu por séculos, e que se chama em latim *Commentariolum Petitionis*. Alguns especialistas em literatura romana duvidam que Quintus tenha escrito o texto, acreditando que foi outro contemporâneo ou talvez um romano do século seguinte. Outros concordam que Quintus tenha sido mesmo o autor. O que importa, no entanto, não é a identidade do autor, mas o que ele diz. O autor era claramente alguém que conhecia intimamente a política romana do século 1 a.C. e que possuía uma noção aguçada de como se ganham eleições em qualquer época.

Na época dos irmãos Cicero, Roma era um vasto império governado como se ainda fosse uma pequena cidade aninhada entre sete colinas ao longo do rio Tibre. A política era profundamente pessoal, controlada por umas poucas famílias proeminentes da cidade, e centralizada ao redor do Fórum romano, um antigo pântano no centro da cidade. Embora os cidadãos romanos vivessem por toda a região mediterrânea, não havia voto por correspondência. Toda a campanha era feita pelos candidatos dentro da cidade de Roma ou em cidades vizinhas.

INTRODUÇÃO

Qualquer romano que aspirasse ao posto de cônsul, depois de completar o serviço militar, tinha que ser eleito primeiro para uma série de cargos políticos menos importantes, conhecidos como *cursus honorum* ou "caminhos de honra". O primeiro passo era ser escolhido por volta dos trinta anos como um dos questores eleitos a cada ano para gerenciar as tarefas comuns de governança, como cuidar do tesouro. O cargo de pretor vinha em seguida e trazia com ele a responsabilidade de gerenciar os tribunais, depois disso, a pessoa podia ser enviada para o exterior para governar uma província romana. Apenas uns poucos escolhiam concorrer ao prêmio máximo: o cargo de cônsul. Estes dois magistrados anuais exerciam o supremo poder executivo sobre a República e eram responsáveis tanto pelas questões civis quanto pelas militares. A eleição para o cargo de cônsul era ciosamente controlada pela aristocracia de Roma, pois ocupar esse mais alto cargo dava a um homem e a seus descendentes o ambicionado status de nobre.

Os romanos zombavam da ideia grega de "um homem, um voto" como um convite à democracia direta. Qualquer cidadão adulto do sexo masculino podia votar, mas isto era feito em um complicado sistema de grupos. Os indivíduos ajudavam a determinar como seu grupo ia votar, mas o grupo tinha direito a um único voto na assembleia. Esses grupos podiam ter origem militar (centuriões) ou tribal, mas, na época de Cicero, seu sentido inicial tinha sido substituído por designações de classe baseadas em riqueza. Os cidadãos mais ricos detinham um grau desproporcional de poder sobre as classes inferiores, muito mais numerosas. Frequentemente, um número suficiente de votos já dava para eleger um candidato antes mesmo que os cidadãos mais pobres pudessem participar. O sistema também favorecia aqueles que moravam em Roma ou nos arredores, uma vez que o voto era presencial. Um fazendeiro ou um comerciante de renda modesta que morava longe da cidade dificilmente viajava para votar.

No entanto, para os cidadãos que moravam na capital ou tinham recursos para viajar a Roma para as eleições, o processo de escolher cônsules era organizado e geralmente justo, apesar do suborno desenfreado e da violência ocasional nas campanhas. Os cidadãos se reuniam de manhã no Campus Martius para ouvir os úl-

INTRODUÇÃO

timos discursos, depois se dividiam pelos seus centuriões em áreas cercadas para votar. O voto era secreto, e cada homem escolhia o nome do seu candidato em um pequeno bloco de madeira coberto de cera e o colocava dentro de uma cesta grande de vime. Os votos de cada grupo eram anunciados assim que eram tabulados. O primeiro candidato a alcançar a maioria de acordo com o sistema era declarado vencedor, e o homem que ficasse em segundo lugar era indicado como cônsul júnior. O cônsul sênior podia então receber a *fasces* – um punhado de varas com um machado preso no topo simbolizando sua autoridade – no dia da posse, primeiro de janeiro, e, durante um ano, gozar do poder e do prestígio sem igual de governar a República romana, cujo poder se estendia por grande parte do mundo conhecido.

Compreender os fundamentos do sistema eleitoral romano no século 1 a.C. é útil para apreciar o conselho que Marcus Cicero recebe nesta carta, mas o verdadeiro prazer para a maioria dos leitores modernos é seu conselho descaradamente pragmático sobre como manipular eleitores e vencer as eleições. Como o *Príncipe* de Maquiavel, este pequeno tratado oferece aconselhamento atemporal e prático para aqueles que aspiram ao poder. Idealismo e ingenuidade são deixados de lado quando Quintus diz ao seu irmão – e a todos nós – como funciona realmente o processo brutal de uma campanha de sucesso.

A carta está cheia de conselhos valiosos para os candidatos modernos, mas a seguir estão aqueles que são verdadeiras pérolas:[1]

1. *Certifique-se de que você tem o apoio de sua família e de seus amigos.* A lealdade começa em casa. Se sua esposa e filhos não o estiverem apoiando, não só será difícil vencer, mas isso causará má impressão aos eleitores. E como Quintus avisa ao irmão, os boatos mais destrutivos a respeito de um candidato começam entre aqueles que estão mais próximos dele.

2. *Cerque-se das pessoas certas.* Reúna um grupo talentoso de colaboradores em quem possa confiar. Você não

---

[1] N. da E.: A tradução e adaptação do latim são, neste texto, de autoria do autor Philip Freeman.

INTRODUÇÃO

pode estar em toda parte ao mesmo tempo, então procure aqueles que irão representá-lo como se eles próprios estivessem tentando ser eleitos.

3. *Cobre todos os favores*. É hora de delicadamente (ou não tão delicadamente) lembrar a todo mundo que você ajudou que eles são seus devedores. Se alguém não dever nenhuma obrigação a você, deixe que saibam que o apoio deles agora colocará você em débito para com eles no futuro, e, depois de eleito, estará em condições de ajudá-los quando precisarem.

4. *Construa uma ampla base de apoio*. Para Marcus Cicero, isso significava apelar em primeiro lugar para as pessoas mais influentes tanto no Senado romano quanto no rico empresariado – tarefa nada fácil, uma vez que esses grupos geralmente estavam em conflito uns com os outros. Porém, Quintus incita o irmão, como alguém de fora do jogo político, a se adiantar e conquistar os diversos grupos de interesse, organizações locais e populações rurais ignoradas por outros candidatos. Jovens eleitores também devem ser cortejados, jun-

to com quaisquer outros que possam ser úteis. Como Quintus observa, até pessoas com as quais nenhum homem decente se associaria na vida normal devem se tornar amigos íntimos durante a campanha se puderem ajudar você a se eleger. Restringir-se a uma base pequena de apoio garante a derrota.

Mas como se conquista uma gama tão ampla de eleitores?

5. *Prometa tudo a todos*. Exceto nos casos mais extremos, os candidatos devem dizer o que quer que um determinado grupo queira ouvir. Diga aos conservadores que você tem repetidamente apoiado valores tradicionais. Diga aos progressistas que você sempre esteve do lado deles. Depois da eleição, você poderá explicar a todo mundo que adoraria ajudá-los, mas infelizmente circunstâncias fora do seu controle intervieram. Quintus garante ao irmão que os eleitores ficarão muito mais zangados se ele se recusar a prometer aquilo que eles desejam do que se ele recuar mais tarde.

INTRODUÇÃO

6. *Habilidade de comunicação é vital*. Na Roma Antiga, a arte de falar em público era estudada diligentemente por todos os homens com aspirações políticas. Apesar das novas e variadas formas de mídia hoje em dia, um mau comunicador ainda tem poucas chances de vencer uma eleição.

7. *Não saia da cidade*. Na época de Marcus Cicero, isso significava permanecer perto de Roma. Para os políticos modernos, era estar no lugar certo, fazendo campanha corpo a corpo com os eleitores chave. Não existe dia livre para um candidato sério. Você pode tirar férias depois que vencer.

8. *Conheça as fraquezas dos seus oponentes – e as explore*. Assim como Quintus examina bem de perto aqueles que estão concorrendo com seu irmão, todos os candidatos deviam fazer um levantamento honesto tanto das vulnerabilidades quanto dos pontos fortes dos seus rivais. Candidatos vencedores fazem o possível para distrair os eleitores de quaisquer aspectos positivos que seus opo-

nentes possuam enfatizando os aspectos negativos. Boatos de corrupção são matéria-prima de primeira qualidade. Escândalos sexuais são ainda melhores.

9. *Puxem o saco dos eleitores abertamente*. Marcus Cicero era sempre educado, mas podia ser formal e distante. Quintus alerta que ele precisa ser mais receptivo com os eleitores. Olhe nos olhos deles, bata nas costas deles e diga que eles são importantes. Faça os eleitores acreditarem que você se importa realmente com eles.

10. *Dê esperança às pessoas*. Até os eleitores mais cínicos querem acreditar em alguém. Dê às pessoas a sensação de que você pode tornar o mundo delas melhor e elas se tornarão seus seguidores mais devotados – pelo menos até depois da eleição, quando você irá inevitavelmente desapontá-las. No entanto, a essa altura, isso não fará mais diferença, porque você já terá vencido.

Existem muitos outros conselhos úteis na carta que leitores modernos poderão descobrir sozinhos. Embora a República romana tenha desaparecido mais de dois mil

INTRODUÇÃO

anos atrás, é fascinante ver que quanto mais as coisas mudam mais elas permanecem iguais.

E você pode estar imaginando qual foi o resultado da eleição para cônsul. A campanha de Marcus foi vitoriosa apesar dos obstáculos? Os conselhos de Quintus funcionaram? Que fim levaram os dois irmãos depois da eleição? Continue a ler e, no final da carta, descubra o que aconteceu.

Philip Freeman é professor de Humanidades na Universidade Pepperdine, em Malibu, Califórnia. É Ph.D. em Filologia Clássica e Línguas e Literaturas Celtas pela Universidade de Harvard. Publicou dezenas de livros, entre eles *The Gospel of Mary* (2017), *Celtic Mythology* (2017) e *Searching for Sappho* (2016), além de ser o tradutor e comentador dos irmãos Cicero nos Estados Unidos com os títulos *How to Grow Old* (2016), *How to Run a Country* (2013) e *How to Win an Election* (2012).

COMO GANHAR UMA ELEIÇÃO

COMMENTARIOLUM PETITIONIS

Quintus Marco Fratri salutem dicit.

1. Etsi tibi omnia suppetunt ea quae consequi ingenio aut usu homines aut diligentia possunt, tamen amore nostro non sum alienum arbitratus ad te perscribere ea quae mihi veniebant in mentem dies ac noctes de petitione tua cogitanti, non ut aliquid ex his novi addisceres, sed ut ea quae in re dispersa atque infinita viderentur esse ratione et distributione sub uno aspectu ponerentur.

2. Civitas quae sit cogita, quid petas, qui sis. Prope cotidie tibi hoc ad Forum descendenti meditandum est: "Novus sum, consulatum peto, Roma est." Nominis novitatem dicendi gloria maxime sublevabis. Semper ea res plurimum dignitatis habuit. Non po-

BREVE COMENTÁRIO SOBRE A CANDIDATURA

Ao meu irmão Marcus, saudações.

1. Embora você apresente todas as habilidades, aquelas que os homens possuem ou pelo talento inato, ou pela prática, ou pela aplicação, pensei e, considerando a nossa afeição, não julguei inapropriado lhe escrever o que, durante os dias e as noites, me vinha à mente quando refletia sobre a sua candidatura, não para que aprenda algo de novo comigo, mas para que veja as coisas que venham a parecer um caos dispostas sob outro ponto de vista.

2. Pergunte-se que cidade é essa onde vive, o que deseja dela e quem é você. Todos os dias, enquanto estiver descendo para o Fórum, pense consigo mesmo: "Sou um homem novo, quero o consulado, Roma é a meta!" Você atenuará o fato de ser um homem novo

test qui dignus habetur patronus consularium indignus consulatu putari. Quam ob rem quoniam ab hac laude proficisceris et quicquid es ex hoc es, ita paratus ad dicendum venito quasi in singulis causis iudicium de omni ingenio futurum sit.

3. Eius facultatis adiumenta, quae tibi scio esse seposita, ut parata ac prompta sint cura, et saepe quae de Demosthenis studio et exercitatione scripsit Demetrius recordare, deinde ut amicorum et multitudo et genera appareant. Habes enim ea quae non multi homines novi habuerunt, omnis publicanos, totum fere equestrem ordinem, multa propria municipia, multos abs te defensos homines cuiusque ordinis, aliquot collegia, praeterea studio dicendi conciliatos plurimos adulescentulos, cotidianam amicorum adsiduitatem et frequentiam.

com a máxima glória ao discursar, pois ela sempre foi muito valorizada. Afinal, não pode alguém como você, que tem sido um patrono dos consulares, ser considerado indigno do cargo do consulado. Por isso é que partirá com este louvor e, a partir disso, será o que quiser ser. Assim, preparado para discursar, aja como se cada causa jurídica colocasse à prova todo o seu talento.

3. Sei que você criou recursos nesta arte, então cuide para que eles estejam aptos e ao seu alcance, e, frequentemente, lembre-se do que Demetrius escreveu sobre o estudo e a prática das lições de Demosthenes. Além disso, cuide para que a maioria dos seus amigos e também a população estejam presentes. Com efeito, você tem nela o que muitos homens novos não têm: todos os coletores de impostos, a ordem equestre quase toda, muitos municípios com seus respectivos líderes, alguns magistrados, muitos desses homens defendidos por você. Você tem na população, além dos amigos, jovens interessados no estudo diário, assíduo e frequente da oratória.

4. Haec cura ut teneas commonendo et rogando et omni ratione efficiendo ut intellegant qui debent tua causa, referendae gratiae, qui volunt, obligandi tui tempus sibi aliud nullum fore. Etiam hoc multum videtur adiuvare posse novum hominem, hominum nobilium voluntas et maxime consularium. Prodest quorum in locum ac numerum pervenire velis ab iis ipsis illo loco ac dignum numero putari.

5. Ii rogandi omnes sunt diligenter et ad eos adlegandum est persuadendumque iis nos semper cum optimatibus de re publica sensisse, minime popularis fuisse; si quid locuti populariter videamur, id nos eo consilio fecisse ut nobis Cn. Pompeium adiungeremus, ut eum qui plurimum posset aut amicum in nostra petitione haberemus aut certe non adversarium.

6. Praeterea adulescentis nobilis elabora ut habeas vel ut teneas, studiosos quos habes. Multum dignitatis adferent. Plurimos habes; perfice ut sciant

4. Trabalhe para manter estas benesses, seja dando ou pedindo conselhos úteis, seja produzindo todo tipo de troca de favores. Trabalhe a fim de que percebam que estão em débito com você, a ponto de lhe agradecerem. Trabalhe para que percebam que não haverá outro momento para se aliarem a você. E ainda neste ponto, a simpatia dos homens nobres, em maioria de consulares, é algo que muito pode ajudar a um homem novo. É essencial que todos os que se apresentem julguem por si mesmos que você é digno do cargo.

5. Você deve ser cuidadoso e convencer a todos de que compartilha a opinião dos nobres e de que não é do partido popular. Se acharem que você parece ser aliado do povo de algum modo, diga que é porque precisa ganhar favores do nobre Pompeius, a fim de que ele possa ser mais favorável à sua campanha ou, pelo menos, não se tornar um adversário.

6. Atraia os jovens da nobreza para tê-los ao seu lado, ou melhor, para mantê-los do mesmo modo que você já preserva aqueles que o admiram. Eles trarão a você

quantum in iis putes esse. Si adduxeris ut ii qui non nolunt cupiant, plurimum proderunt.

7. Ac multum etiam novitatem tuam adiuvat quod eius modi nobiles tecum petunt, ut nemo sit qui audeat dicere plus illis nobilitatem quam tibi virtutem prodesse oportere. Nam P. Galbam et L. Cassium summo loco natos quis est qui petere consulatum putet? Vides igitur amplissimis ex familiis homines, quod sine nervis sunt, tibi paris non esse.

8. At Antonius et Catilina molesti sunt. Immo homini navo, industrio, innocenti, diserto, gratioso apud eos qui res iudicant, optandi competitores ambo a pueritia sicarii, ambo libidinosi, ambo egentes. Eorum alterius bona proscripta vidimus, vocem denique audivimus iurantis se Romae iudicio aequo cum

muita admiração. Se você já tem muitos apoiadores, faça com que saibam o quanto os considera. Se você os leva consigo quando não se opõem ao seu sucesso, eles serão auxiliares preciosos.

7. Ajuda muito na sua posição de homem novo ter por concorrentes homens nobres de caráter duvidoso. Ninguém ousaria dizer que eles, por conta da nobreza de nascimento, tornam-se mais qualificados a ser cônsul do que você, por conta da sua virtude. Pois quem imaginaria que P. Galba e L. Cassius, apesar da alta estirpe, disputariam o consulado? Veja, portanto, que homens pertencentes às altas famílias, mas sem vigor, não são páreo para você.

8. Mas e Antonius e Catilina, por exemplo, são temíveis? Não para um homem como você, ativo, habilidoso, irrepreensivelmente honesto e eloquente, visto assim até por aqueles que exercem as funções de juízes. Você deveria optar por estes adversários, ambos desde a infância assassinos, ambos libidinosos, ambos miseráveis.

homine Graeco certare non posse, ex senatu eiectum scimus optima verorum censorum existimatione, in praetura competitorem habuimus amico Sabidio et Panthera, cum ad tabulam quos poneret non haberet; quo tamen in magistratu amicam quam domi palam haberet de machinis emit. In petitione autem consulatus caupones omnis compilare per turpissimam legationem maluit quam adesse et populo Romano supplicare.

9. Alter vero, di boni! quo splendore est? Primum nobilitate eadem. Num maiore? Non. Sed virtute. Quam ob rem? Quod Antonius umbram suam metuit, hic ne leges quidem natus in patris egestate, educatus in sororis stupris, corroboratus in caede civium, cuius primus ad rem publicam aditus in equitibus Romanis occidendis fuit, nam illis quos me-

Vimos do primeiro os bens confiscados;[1] Antonius declarou, sob juramento, em Roma, que não poderia sequer competir contra um grego, diante dos tribunais. Então não sabemos como ele foi expulso do Senado depois de um exame cuidadoso feito pelos censores? E não se esqueça de que, quando concorreu ao cargo de pretor, ele só conseguiu reunir Sabidio e Panthera para ficarem ao lado dele. Era quando não tinha sequer um escravo para colocar à venda no tablado, o que não o impediu de ir, uma vez pretor, comprar no mercado de escravos uma amante que ele mantinha em casa publicamente. E como candidato ao consulado, então? Escolheu pilhar todos os taberneiros em delegação desonrosa em vez de ficar em Roma e enfrentar o povo romano.

9. Quanto a Catilina, pelos deuses! De onde vem sua fama? Primeiramente com a mesma nobreza no sangue que a de Antonius. Ou acaso é mais? Não. Porém,

---

[1] Há uma nota in CICÉRON, *Correspondance*, volume I (*apud* p. 83: *Cf. 'In toga candida'*, p. 63, 13 Stangl), confirmando que quem teve os bens confiscados fora Antonius, embora no original conste *alterius*, cuja tradução é "do segundo".

minimus Gallis, qui tum Titiniorum ac Nanniorum ac Tanusiorum capita demebant, Sulla unum Catilinam praefecerat, in quibus ille hominem optimum, Q. Caecilium, sororis suae virum, equitem Romanum, nullarum partium, cum semper natura tum etiam aetate iam quietum, suis manibus occidit.

10. Quid ego nunc dicam petere eum consulatum, qui hominem carissimum populo Romano, M. Marium inspectante populo Romano vitibus per totam urbem ceciderit, ad bustum egerit, ibi omni cruciatu lacerarit, vivo stanti collum gladio sua dextera secuerit, cum sinistra capillum eius a vertice teneret, caput sua manu tulerit, cum inter digitos eius rivi sanguinis fluerent? qui postea cum histrionibus et

com coragem. Por quê? Porque Antonius teme a própria sombra, e Catilina, de fato, nem mesmo teme às leis. Nascido na miséria à qual seu pai foi reduzido, educado nas desonras de sua irmã, fortificou-se no sangue de cidadãos assassinados: seu primeiro acesso à vida pública foi por massacrar membros da ordem dos cavaleiros romanos. Quem esqueceria? As cabeças dos Titinius, dos Nannius e dos Tanusius caíam: Sula lhe deu o comando único e, dentre esses citados, aquele excelente homem, Q. Caecilius, o esposo de sua irmã, cavaleiro romano, que não pertencia a nenhum partido, morreu em suas mãos, no momento em que, por natureza e pela idade, já estava quieto.

10. O que eu direi agora de seu adversário Catilina como concorrente ao consulado é que ele golpeou M. Marius, um homem caríssimo ao povo romano. Por toda a cidade o perseguiu até sua cova, onde o torturou com total crueldade aos olhos do povo romano. E enquanto ainda estava vivo, cortou-lhe o pescoço com sua mão direita e com a mão esquerda manteve os cabelos agarrados, levantando a cabeça do homem.

cum gladiatoribus ita vixit ut alteros libidinis, alteros facinoris adiutores haberet, qui nullum in locum tam sanctum ac tam religiosum accessit in quo non, etiam si aliis culpa non esset, tamen ex sua nequitia dedecoris suspicionem relinqueret, qui ex curia Curios et Annios, ab atriis Sapalas et Carvilios, ex equestri ordine Pompilios et Vettios sibi amicissimos comparavit, qui tantum habet audaciae, tantum nequitiae, tantum denique in libidine artis et efficacitatis, ut prope in parentum gremiis praetextatos liberos constuprarit?

Quid ego nunc tibi de Africa, quid de testium dictis scribam? Nota sunt, et ea tu saepius legito; sed tamen hoc mihi non praetermittendum videtur quod primum ex eo iudicio tam egens discessit quam quidam iudices eius ante illud in eum iudicium fuerunt, deinde tam invidiosus ut aliud in eum iudicium cotidie flagitetur. Hic se sic habet ut magis timeat, etiam si quierit, quam ut contemnat si quid commoverit.

BREVE COMENTÁRIO SOBRE A CANDIDATURA

Entre seus dedos escorriam rios de sangue. Depois disso, Catilina viveu entre histriões e gladiadores de tal modo que os teria como cúmplices para libidinagens, com os primeiros, e para crimes, com os segundos; ele jamais perdeu a chance de entrar em qualquer lugar, mesmo nos mais sagrados, os mais bem preservados pela religião, sem que sua perversidade se tornasse presente, sem levantar desconfiança. A quem tomou como amigo íntimo? Do Senado, Curius e Annius; das casas de leilões, Sapalas e Carvilius; da ordem equestre, Pompilius e Vettius. Catilina tanto tem de audácia, de malícia, enfim, tanto de habilidade e de eficácia na astúcia que chegou a molestar jovens adolescentes, ainda com os braços cobertos de togas pretextas, junto de suas famílias.

O que eu devo escrever a você agora sobre o que ele fez na África? Sobre as provas das testemunhas? Leia você mesmo com cuidado estas provas que estão públicas. Entretanto, parece-me que, apesar de tudo, não devo omitir isso, primeiro porque deste juízo que você está tão necessitado se afastou; em segundo, porque os juízes foram contra ele na decisão. Assim, desde

11. Quanto melior tibi fortuna petitionis data est quam nuper homini novo, C. Coelio! Ille cum duobus hominibus ita nobilissimis petebat ut tamen in iis omnia pluris essent quam ipsa nobilitas, summa ingenia, summus pudor, plurima beneficia, summa ratio ac diligentia petendi. Ac tamen eorum alterum Coelius, cum multo inferior esset genere, superior nulla re paene, superavit.

12. Qua re tibi, si facies ea quae natura et studia quibus semper usus es, largiuntur, quae temporis tui ratio desiderat, quae potes, quae debes, non erit difficile certamen cum iis competitoribus, qui nequaquam sunt tam genere insignes quam vitiis nobiles. Quis enim reperiri potest tam improbus civis qui velit uno suffragio duas in rem publicam sicas destringere?

então, o revoltante Catilina é acusado perante a corte, dia após dia, em novas demandas. Ele é tão imprevisível que, aqui, no tribunal, é mais temido quieto do que quando metido em confusão.

11. Quanto às condições da sua candidatura, são mais favoráveis do que a recente, de C. Coelius, outro homem novo! Ele concorreu contra duas personalidades que eram da mais alta nobreza. Além da integridade, da inteligência e da modéstia atraente, haviam realizado muitos feitos notáveis em Roma e tiveram diligência ímpar na condução da campanha eleitoral. Ainda assim, Coelius, embora fosse inferior quanto ao nascimento nobre e não fosse superior em outra coisa, superou um deles.

12. Assim, se você implementar os meios que lhe conferem em grande parte sua natureza e os estudos aos quais você sempre se dedicou, alargam-se ainda mais as suas chances na disputa. O que você pode ou o que você deve não será difícil certame contra seus competidores, que não são, de modo nenhum, tão insignes, mas sim vis nobres. Quem imaginaria um cidadão tão

13. Quoniam quae subsidia novitatis haberes et habere posses exposui, nunc de magnitudine petitionis dicendum videtur. Consulatum petis, quo honore nemo est quin te dignum arbitretur, sed multi qui invideant; petis enim homo ex equestri loco summum locum civitatis atque ita summum ut forti homini, diserto, innocenti multo idem ille honos plus amplitudinis quam ceteris adferat. Noli putare eos qui sunt eo honore usi non videre, tu cum idem sis adeptus, quid dignitatis habiturus sis. Eos vero qui consularibus familiis nati locum maiorum consecuti non sunt suspicor tibi, nisi si qui admodum te amant, invidere. Etiam novos homines praetorios existimo, nisi qui tuo beneficio vincti sunt, nolle abs te se honore superari.

marginal que desejasse voto armado com dois punhais contra a República?

13. Visto que expus os recursos que você possui por suas habilidades naturais e por ser um homem novo, devo tratar agora do tamanho da sua campanha. Você quer ser um cônsul: é uma honra não haver ninguém que não julgue você digno disso, mas convenha que há muita inveja nesta questão. Você é proveniente dos cavaleiros, um homem corajoso, eloquente e íntegro, mas pleiteia o posto mais alto da cidade, que rende a honra mais ampla de todas. Não acredite que aqueles que já o ocuparam não verão você como um prestigiado quando estiver no mesmo lugar e conquistar tal dignidade. Na verdade, os homens nascidos em famílias consulares, que ocuparam o cargo dos seus antepassados, invejam você – eu suponho – a não ser que o amem inteiramente. Estimo ainda que homens novos no cargo de pretores, com exceção dos que te devem favor, não querem ser superados por você em honra.

14. Iam in populo quam multi invidi sint, quam consuetudine horum annorum ab hominibus novis alienati, venire tibi in mentem certo scio; esse etiam non nullos tibi iratos ex iis causis quas egisti necesse est. Iam illud tute circumspicito, quod ad Cn. Pompeii gloriam augendam tanto studio te dedisti, num quos tibi putes ob eam causam esse amicos.

15. Quam ob rem, cum et summum locum civitatis petas et videas esse studia quae adversentur, adhibeas necesse est omnem rationem et curam et laborem et diligentiam.

16. Et petitio magistratus divisa est in duarum rationum diligentiam, quarum altera in amicorum studiis, altera in populari voluntate ponenda est. Amicorum studia beneficiis et officiis et vetustate et facilitate ac iucunditate naturae parta esse oportet. Sed hoc nomen amicorum in petitione latius patet quam in cetera vita. Quisquis est enim qui ostendat aliquid in te voluntatis, qui colat, qui domum ven-

14. Ora, eu sei que há muitos que o desprezam. Depois das turbulências dos últimos anos, um número considerável de cidadãos não arrisca votar em um homem novo. Há também aqueles que estão com raiva de você pelos processos que defendeu tão bem no tribunal. E fique atento aos supostos amigos que podem estar secretamente furiosos, pois você tem tão zelosamente apoiado Pompeius.

15. Assim, de fato, como você deseja o mais alto posto do Estado, e embora você precise enxergar as coisas que se opõem à sua candidatura, é necessário que você se aplique a todo interesse, cuidado, trabalho e zelo.

16. A demanda do magistrado se divide em duas razões metódicas, uma nos cuidados aos amigos; outra no favor ao povo. Na consagração de benesses aos amigos, seria preciso assegurá-las por gratidão, fidelidade aos deveres de amizade, antiguidade das relações e consentimento de uma amabilidade. Porém, quando se é candidato, a amizade tem um sentido mais amplo do que no resto da existência. Quem quer que, com efeito,

titet, is in amicorum numero est habendus. Sed tamen, qui sunt amici ex causa iustiore cognationis aut adfinitatis aut sodalitatis aut alicuius necessitudinis, iis carum et iucundum esse maxime prodest.

17. Deinde, ut quisque est intimus ac maxime domesticus, ut is amet et quam amplissimum esse te cupiat, valde elaborandum est, tum ut tribules, ut vicini, ut clientes, ut denique liberti, postremo etiam servi tui; nam fere omnis sermo ad forensem famam a domesticis emanat auctoribus.

18. Denique sunt instituendi cuiusque generis amici, ad speciem homines inlustres honore ac nomine, qui etiam si suffragandi studia non navant, tamen adferunt petitori aliquid dignitatis; ad ius obtinendum magistratus, ex quibus maxime consules, deinde tribuni plebi, ad conficiendas centurias homines excellenti gratia. Qui abs te tribum aut centuriam aut aliquod beneficium aut habeant aut sperent, eos rursus magnoopere et compara et confirma. Nam

mostre alguma simpatia por você, deve ser submetido a provas expressas: que venha frequentemente à sua casa. Você também deve contar o número de amigos, com os autênticos, se têm uma relação de parentesco ou aliança ou confraternidade ou algum outro elo social.

17. Quanto mais uma pessoa é íntima, mais ela deve estar presente em sua casa, para que goste de você e deseje seu sucesso. Você deve colaborar muito com os pobres, com os vizinhos, com os clientes, enfim, com os libertos, pois todo rumor destrutivo que chega a público é quase sempre de origem doméstica.

18. Finalmente, é preciso saber que os amigos são de diferentes gêneros. Para manter a aparência, os homens ilustres, que em razão de sua posição e seu renome, mesmo que não façam nada para recomendá-lo, agregam algo de dignidade. Para ter a proteção da lei, os magistrados, entre os quais, em primeiro lugar, os cônsules, e depois os tribunos da plebe. Para obter voto, os centuriões são homens de influência particular. Para os que têm ou esperam obter alguma vanta-

per hos annos homines ambitiosi vehementer omni studio atque opera elaborant, ut possint a tribulibus suis ea quae petierint impetrare. Hos tu homines, quibuscumque poteris rationibus, ut ex animo atque ex illa summa voluntate tui studiosi sint elaborato.

19. Quod si satis grati homines essent, haec tibi omnia parata esse debebant, sic uti parata esse confido. Nam hoc biennio quattuor sodalitates hominum ad ambitionem gratiosissimorum tibi obligasti, C. Fundani, Q. Galli, C. Corneli, C. Orcivi. Horum in causis ad te deferendis quid tibi eorum sodales receperint et confirmarint scio, nam interfui. Qua re hoc tibi faciendum est, hoc tempore ut ab his quod debent exigas saepe commonendo, rogando, confirmando, curando ut intelligant nullum se umquam aliud tempus habituros referendae gratiae. Profecto homines et spe reliquorum

gem, inversamente e com insistência, confronte e ratifique para ganhar esta recomendação ou de uma tribo ou de uma centúria. Nestes últimos anos, homens ambiciosos trabalharam ativamente, empregando todo zelo a fim de que pudessem retornar às suas tribos tudo o que elas demandaram. Você poderá ser um desses homens, com razões determinantes, a fim de que as tribos apoiem o sufrágio com devoção a você, de todo coração e toda a sinceridade.

19. Se os homens forem suficientemente gratos a você, como, aliás, eu acredito que sejam, é porque você preparou as coisas como devia. Com efeito, nesses dois últimos anos, você se aliou a quatro associações de grande potencial para conquistar votos: a de C. Fundanius, a de Q. Gallus, a de C. Cornelius e a de C. Orcivius. Eu sei sobre os acordos que elas fizeram com você para representar seus interesses, já que eu estava lá nas entrevistas. Então, agora é hora de pressioná-las, através de pedidos frequentes, garantias, encorajamento e admoestação, para que cumpram suas obrigações. Na verdade, diga-lhes que esta é a ocasião para pagar as

tuorum officiorum et iam recentibus beneficiis ad studium navandum excitabuntur.

20. Et omnino quoniam eo genere amicitiarum petitio tua maxime munita est, quod ex causarum defensionibus adeptus es, fac ut plane iis omnibus quos devinctos tenes descriptum ac dispositum suum cuique munus sit; et quem ad modum nemini illorum molestus ulla in re umquam fuisti, sic cura ut intelligant omnia te quae ab illis tibi deberi putaris ad hoc tempus reservasse.

21. Sed, quoniam tribus rebus homines maxime ad benevolentiam atque haec suffragandi studia ducuntur, beneficio, spe, adiunctione animi ac voluntate, animadvertendum est quem ad modum cuique horum generi sit inserviendum. Minimis beneficiis homines adducuntur ut satis causae putent esse ad studium suffragationis, nedum ii quibus saluti fuisti, quos tu habes plurimos, non intellegant, si hoc tuo tempore tibi non satis fecerint, se probatos nemini umquam fore. Quod cum ita sit, tamen rogandi sunt atque etiam in

dívidas políticas que têm com você, se querem que você as olhe favoravelmente no futuro.

20. Os amigos, cuja petição jurídica você defendeu com sucesso no tribunal, faça-os lembrar desses favores oferecidos. Deixe claro para cada um que lhe deve obrigação o que você espera exatamente. Lembre a eles que você nunca exigiu nada antes, mas agora é a hora, para que percebam tudo o que eles lhe devem.

21. Por outro lado, há três coisas que são tomadas como garantia na votação: favores, esperança e apego pessoal. Você deve aplicar esses incentivos de acordo com o modo de ser de cada um. Eleitores passam para seu lado com pequenos favores, visto que se julgam protegidos em sua ocupação. Você tem muitos deles à mão. Todos aqueles a quem ajudou muito, esses ainda mais, precisam entender que se não o apoiarem agora perderão todo o respeito público e nunca serão aprovados por ninguém. Mas vá

hanc opinionem adducendi ut qui adhuc nobis obligati fuerint iis vicissim nos obligari posse videamur.

22. Qui autem spe tenentur, quod genus hominum multo etiam est diligentius atque officiosius, iis fac ut propositum ac paratum auxilium tuum esse videatur, denique ut spectatorem te officiorum esse intellegant diligentem, ut videre te plane atque animadvertere quantum a quoque proficiscatur appareat.

23. Tertium illud genus est studiorum voluntarium, quod agendis gratiis, accommodandis sermonibus ad eas rationes, propter quas quisque studiosus tui esse videbitur, significanda erga illos pari voluntate, adducenda amicitia in spem familiaritatis et consuetudinis confirmari oportebit. Atque in iis omnibus generibus iudicato et perpendito, quantum quisque possit, ut scias et quem ad modum cuique inservias et quid a quoque exspectes ac postules.

até eles pessoalmente e demonstre estar disposto a servi-los mediante o apoio nesta eleição.

22. Para os eleitores a quem deu esperanças, um grupo muito mais zeloso e aplicado, faça com que pensem no seu propósito. Você estará lá preparado para ajudá-los no futuro. Em resumo, que compreendam que é zeloso quanto às obras que esperam de você e mesmo que fique evidente que você vê tudo e ainda adverte quanto ao que acontece.

23. O terceiro grupo eleitoral tem boa vontade e lealdade por causa do apego pessoal. Eles creem que se ajustam aos seus discursos pelas mesmas razões. Encoraje-os nas afinidades de cada coisa com relação aos seus sentimentos e interesses mútuos. Permita a esperança na amizade bem íntima e confirme um pensamento tradicional. Pondere e considere com estes grupos todos o quanto cada um é capaz, para que você saiba não somente como servi-los, mas também o que esperar e exigir deles.

24. Sunt enim quidam homines in suis vicinitatibus et municipiis gratiosi, sunt diligentes et copiosi, qui etiam si antea non studuerunt huic gratiae, tamen ex tempore elaborare eius causa cui debent aut volunt, facile possunt. His hominum generibus sic inserviendum est ut ipsi intelligant te videre quid a quoque exspectes, sentire quid accipias, meminisse quid acceperis. Sunt autem alii, qui aut nihil possunt aut etiam odio sunt tribulibus suis nec habe tantum animi ac facultatis ut enitantur ex tempore. Hos ut internoscas, elaborato, ne spe in aliquo maiore posita praesidi parum comparetur.

25. Et quamquam partis ac fundatis amicitiis fretum ac munitum esse oportet, tamen in ipsa petitione amicitiae permultae ac perutiles comparantur; nam in ceteris molestiis habet hoc tamen petitio commodi, potes honeste, quod in cetera vita non queas, quoscumque velis adiungere ad amicitiam, quibuscum si alio tempore agas, absurde facere videare, in

24. Existem homens-chave influentes nos seus bairros e municípios. São atentos e bem-falantes e, ainda que não o tenham apoiado antes, devem ou querem, porém, fazê-lo imediatamente. Com facilidade, você pode obtê-los na sua causa eleitoral, se eles tiverem algum interesse. Deve-se cultivar este grupo assim: fazê-los entender o que você espera deles, reconhecer o que você aceitará e lembrar o que terão obrigação de fazer. Há outros, no entanto, que, mesmo odiosos para os cidadãos de sua tribo, não têm nem energia nem recursos necessários para poder sair-se bem numa campanha. Você deve reconhecer os grupos úteis e os que não são úteis para seus interesses, a fim de não colocar esperança em pessoas que não lhe ajudarão muito.

25. Ainda que você tenha adquirido previamente amizades sólidas que lhe deram segurança e apoio efetivo, durante a campanha eleitoral, contudo, hão de ser adquiridas amizades numerosas e muito úteis. De fato, entre tantas coisas desagradáveis, numa campanha eleitoral, você tem, entrementes, esta vantagem: sem nenhuma vergonha, pode admitir que quer

petitione autem nisi id agas et cum multis et diligenter, nullus petitor esse videare.

26. Ego autem tibi hoc confirmo, esse neminem, nisi aliqua necessitudine competitorum alicui tuorum sit adiunctus, a quo non facile si contenderis impetrare possis ut suo beneficio promereatur se ut ames et sibi ut debeas, modo ut intelligat te magni aestimare ex animo agere, bene se ponere, fore ex eo non brevem et suffragatoriam sed firmam et perpetuam amicitiam.

27. Nemo erit, mihi crede, in quo modo aliquid sit, qui hoc tempus sibi oblatum amicitiae tecum constituendae praetermittat, praesertim cum tibi hoc casus adferat ut ii tecum petant quorum amicitia aut contemnenda aut fugienda sit, et qui hoc quod ego te hortor non modo adsequi sed ne incipere quidem possint.

a amizade de pessoas que você não admitiria em outro momento, pois isso pareceria um absurdo. No período eleitoral, ao contrário, se você não fizer amizade com muitos, como também escrupulosamente, você parecerá um candidato fraco.

26. Ora, garanto a você não existir ninguém, a não ser alguns dos seus rivais, que não ficariam ao seu lado em alguma solicitação. Mas isso só vai funcionar se o homem perceber que você é merecedor de apoio, se ele perceber que você é sincero e se dispõe francamente. Assim, essa breve relação eleitoral poderá se tornar uma firme e perpétua amizade.

27. Creia-me, não existirá ninguém, de jeito nenhum, que deixaria escapar a oportunidade de fazer amizade com você, sobretudo quando uma situação apresenta concorrentes como os que você tem. Seus oponentes se dirigem às pessoas numa relação de desprezo ou fuga, assim, nisso eu advirto, eles não poderiam começar, nem mesmo seguir adiante.

28. Nam qui incipiat Antonius homines adiungere atque invitare ad amicitiam quos per se suo nomine appellare non possit? Mihi quidem nihil stultius videtur quam existimare esse eum studiosum tui quem non noris. Eximiam quandam gloriam et dignitatem ac rerum gestarum magnitudinem esse oportet in eo quem homines ignoti nullis suffragantibus honore afficiant; ut quidem homo nequam, iners, sine officio, sine ingenio, cum infamia, nullis amicis hominem plurimorum studio atque omnium bona existimatione munitum praecurrat, sine magna culpa negligentiae fieri non potest.

29. Quam ob rem omnis centurias multis et variis amicitiis cura ut confirmatas habeas. Et primum, id quod ante oculos est, senatores equitesque Romanos, ceterorum ordinum navos homines et gratiosos complectere. Multi homines urbani industrii, multi libertini in foro gratiosi navique versantur. Quos per te, quos per communis amicos poteris, summa cura ut cupidi tui sint elaborato, appetito, adlegato, summo beneficio te adfici ostendito.

28. Como, por exemplo, poderia Antonius fixar uma amizade e tentar apoio eleitoral, se não sabe chamar os eleitores pelo próprio nome? De fato, nada é mais grosseiro do que um candidato pensar que uma pessoa que não o conhece o apoiará! Seria preciso certa habilidade milagrosa, renome e realizações para conquistar eleitores sem pedir o apoio de pessoas honradas. Um homem devasso, preguiçoso, sem vontade de trabalhar para os que o apoiam, sem talento, com má reputação e sem amigos não poderia superar um homem protegido pela afeição de muitos e admiração de todos, a menos que seja por imperdoável negligência.

29. Por isso, trabalhe para obter o apoio eleitoral de todas as centúrias e amigos de vários tipos. Evidente que devem ser incluídos senadores, bem como cavaleiros romanos e homens importantes de todas as classes. Há numerosas pessoas influentes nesta cidade, além de muitos escravos libertos que frequentam o Fórum. Tanto quanto puder, sozinho ou através de seus amigos, trabalhe para que venham aderir à sua causa. Fale com eles, envie seus aliados, faça todo o

30. Deinde habeto rationem urbis totius, collegiorum omnium, pagorum, vicinitatum. Ex his principes ad amicitiam tuam si adiunxeris, per eos reliquam multitudinem facile tenebis. Postea totam Italiam fac ut in animo ac memoria tributim descriptam comprehensamque habeas, ne quod municipium, coloniam, praefecturam, locum denique Italiae ne quem esse patiare in quo non habeas firmamenti quod satis esse possit.

31. Perquiras et investiges homines ex omni regione, eos cognoscas, appetas, confirmes, cures ut in suis vicinitatibus tibi petant et tua causa quasi candidati sint. Volent te amicum, si suam a te amicitiam expeti videbunt. Id ut intelligant oratione ea quae ad eam rationem pertinet habenda consequere. Homines municipales ac rusticani, si nobis nomine noti sunt, in amicitia esse se arbitrantur; si vero etiam praesidi se aliquid sibi constituere putant, non amittunt

possível para mostrar-lhes que o trabalho que produzem é importante.

30. Depois disso, volte sua atenção para os grupos de interesses especiais, as organizações de bairro e os distritos rurais. Se você agregar os líderes de cada um deles como seus amigos, obterá o restante da população. Em seguida, dirija seus esforços e pensamentos às cidades da Itália, para que você saiba à qual tribo cada um pertence. Assegure-se de ter uma posição em cada município, colônia, prefeitura e sítio na Itália.

31. Procure homens de todos os lugares para representá-lo como se eles mesmos estivessem se candidatando. Visite-os, converse com eles, conheça-os. Eles vão querer ser seus amigos, se notarem que você quer ser amigo deles também. Homens de cidades pequenas e pessoas do campo vão querer ser seus amigos, se você aprender seus nomes e se julgarem que você é verdadeiramente leal. Mas eles só o apoiarão se acreditarem que têm algo a ganhar. Se assim for, não perderão a chan-

occasionem promerendi. Hos ceteri et maxime tui competitores ne norunt quidem, tu et nosti et facile cognosces, sine quo amicitia esse non potest.

32. Neque id tamen satis est, tametsi magnum est, sed sequitur spes utilitatis atque amicitiae, ne nomenclator solum sed amicus etiam bonus esse videare. Ita cum et hos ipsos, propter suam ambitionem qui apud tribulis suos plurimum gratia possunt, studiosos in centuriis habebis et ceteros qui apud aliquam partem tribulium propter municipi aut vicinitatis aut conlegi rationem valent cupidos tui constitueris, in optima spe esse debebis.

33. Iam equitum centuriae multo facilius mihi diligentia posse teneri videntur. Primum cognosce equites, pauci enim sunt, deinde appete, multo enim facilius illa adulescentulorum ad amicitiam aetas adiungitur, deinde habes tecum ex iuventute

ce de ajudá-lo. Outros, contudo, especialmente seus rivais, não se esforçarão para conhecer essas pessoas, mas, se você lhes dedicar um tempo, eles poderão ser ainda mais valiosos para você como amigos e aliados.

32. Mas com qualquer classe de pessoas, não basta que você as chame pelo nome e desenvolva uma amizade superficial. Você deve realmente ser seu amigo. Quando eles acreditarem nisso, os líderes de qualquer organização irão reunir seus membros para trabalhar duro para você, uma vez que eles sabem que o seu apoio naturalmente irá beneficiá-los também. Assim, quando todos os seus partidários entre as cidades, bairros, tribos e vários grupos estiverem trabalhando juntos para você alcançar seus desejos, você poderá sentir-se com real esperança.

33. Já as centúrias dos cavaleiros se empenhariam muito mais facilmente com dedicação. Primeiro, conheça esses cavaleiros, pois são poucos. Como são adolescentes em sua maioria será fácil acercar-se deles. Faça isso e você terá desta juventude alguém bas-

optimum quemque et studiosissimum humanitatis; tum autem, quod equester ordo tuus est, sequuntur illi auctoritatem ordinis, si abs te adhibetur ea diligentia ut non ordinis solum voluntate sed etiam singulorum amicitiis eas centurias confirmatas habeas. Iam studia adulescentulorum in suffragando, in obeundo, in nuntiando, in adsectando mirifice et magna et honesta sunt.

34. Et, quoniam adsectationis mentio facta est, id quoque curandum est ut cotidiana cuiusque generis et ordinis et aetatis utare. Nam ex ea ipsa copia coniectura fieri poterit quantum sis in ipso campo virium ac facultatis habiturus. Huius autem rei tres partes sunt, una salutatorum, altera deductorum, tertia adsectatorum.

35. In salutatoribus, qui magis vulgares sunt et hac consuetudine quae nunc est plures veniunt, hoc efficiendum est ut hoc ipsum minimum officium eorum tibi gratissimum esse videatur. Qui domum

tante bom e dedicado quanto à cultura. Mas ainda há a presença da sua classe: a ordem equestre. Estes são fiéis à autoridade não só pela vontade da ordem, mas também teriam asseguradas as centúrias de cada um. Ora, o zelo admirável dos jovens na votação! Indo ao encontro, anunciando, seguindo você nesse empreendimento tão grandioso quanto honesto.

34. E, visto que se fez menção aos seguidores, você deve cuidar para que tenha a cada dia os grupos de pessoas ao seu redor em categorias sociais, todas as ordens e idades representadas. Eleitores o julgarão pelos seguidores que o acompanham, seja pela qualidade, seja pelo número. Então, os três tipos de seguidores são: os que cumprimentam você em casa, os que escoltam você até o Fórum e os que acompanham você aonde quer que vá.

35. Quanto ao primeiro tipo, eles são os menos confiáveis, já que muitos farão contatos pessoais com mais de um candidato. No entanto, deixe claro para eles que você tem o prazer de tê-los por representantes.

tuam venient, signifi cato te animadvertere; eorum amicis qui illis renuntient ostendito, saepe ipsis dicito. Sic homines saepe, cum obeunt pluris competitores et vident unum esse aliquem qui haec offi cia maxime animadvertat, ei se dedunt, deserunt ceteros, minutatim ex communibus proprii, ex fucosis firmi suffragatores evadunt. Iam illud teneto diligenter, si eum qui tibi promiserit audieris fucum, ut dicitur, facere aut senseris, ut te id audisse aut scire dissimules, si qui tibi se purgare volet quod suspectum esse se arbitretur, adfi rmes te de illius voluntate numquam dubitasse nec debere dubitare. Is enim qui se non putat satis facere amicus esse nullo modo potest. Scire autem oportet quo quisque animo sit, ut quantum cuique confidas constituere possis.

36. Iam deductorum officium quo maius est quam salutatorum, hoc gratius tibi esse significato atque ostendito et, quod eius fieri poterit, certis temporibus descendito. Magnam adfert opinionem, magnam dignitatem cotidiana in deducendo frequentia.

BREVE COMENTÁRIO SOBRE A CANDIDATURA

Mencione sua gratidão pela visita sempre que você os vir e diga a seus amigos que você notou a presença deles também, pois os amigos repetirão suas palavras para eles. Mesmo que eles visitem vários candidatos, você poderá conquistá-los para o seu lado como apoiadores sólidos, observando-os com especial atenção. Se você ouvir ou suspeitar que um de seus interlocutores não é tão firme em seu apoio quanto parece, finja que esse não é o caso. Se ele tentar explicar que as acusações são falsas, garanta que você nunca duvidou de sua lealdade e certamente não o fará no futuro. Ao convencê-lo de que você confia nele como amigo, aumentam as chances de ele realmente sê-lo. Ainda assim, não seja tolo e aceite todas as confissões de boa vontade que você ouve.

36. Para aqueles que o acompanham ao Fórum, que eles saibam que você aprecia isso ainda mais do que a visita em sua casa todas as manhãs. Tente ir lá na mesma hora todos os dias, para que você possa ter uma grande multidão seguindo-o. Isso vai impressionar muito a todo mundo.

37. Tertia est ex hoc genere adsidua adsectatorum copia. In ea quos voluntarios habebis, curato ut intellegant te sibi in perpetuum summo beneficio obligari; qui autem tibi debent, ab iis plane hoc munus exigito, qui per aetatem ac negotium poterunt, ipsi tecum ut adsidui sint, qui ipsi sectari non poterunt, suos necessarios in hoc munere constituant. Valde ego te volo et ad rem pertinere arbitror semper cum multitudine esse.

38. Praeterea magnam adferet laudem et summam dignitatem, si ii tecum erunt qui a te defensi et qui per te servati ac iudiciis liberati sunt. Haec tu plane ab his postulato ut quoniam nulla impensa per te alii rem, alii honorem, alii salutem ac fortunas omnis obtinuerint, nec aliud ullum tempus futurum sit ubi tibi referre gratiam possint, hoc te officio remunerentur.

39. Et quoniam in amicorum studiis haec omnis oratio versatur, qui locus in hoc genere cavendus sit prae-

37. Para o terceiro grupo que acompanha você durante todo o dia, certifique-se de que os que vêm por vontade própria saibam o quanto você é grato por sua companhia. Para aqueles que o seguem por obrigação, insista que venham todos os dias, a menos que sejam muito velhos ou estejam envolvidos em negócios importantes. Se eles não conseguirem, que enviem um parente para os representar. É vital que você tenha uma multidão de seguidores dedicados em todos os momentos ao seu redor.

38. Parte deste grupo que tem obrigações com você é aquele que você defendeu com sucesso em ações judiciais. Esses homens devem a você a preservação de suas propriedades, reputações e, em alguns casos, suas vidas, então não seja tímido ao exigir que eles estejam ao seu lado. Não haverá outra oportunidade como esta, então eles devem pagar com a presença a dívida que têm com você.

39. E como eu tenho escrito muito sobre o tema da amizade, acho que agora é a hora de soar uma nota de

termittendum non videtur. Fraudis atque insidiarum et perfidiae plena sunt omnia. Non est huius temporis perpetua illa de hoc genere disputatio, quibus rebus benevolus et simulator diiudicari possit; tantum est huius temporis admonere. Summa tua virtus eosdem homines et simulare tibi se esse amicos et invidere coegit. Quam ob rem Epicharmeion illud teneto, nervos atque artus esse sapientiae non temere credere.

40. Et cum tuorum amicorum studia constitueris, tum etiam obtrectatorum atque adversariorum rationes et genera cognoscito. Haec tria sunt, unum quos laesisti, alterum qui sine causa non amant, tertium qui competitorum valde amici sunt. Quos laesisti, cum contra eos pro amico diceres, iis te plane purgato, necessitudines commemorato, in spem adducito te in eorum rebus, si se in amicitiam tuam contulerint, pari studio atque officio futurum. Qui sine causa non amant, eos aut beneficio aut spe aut significando tuo erga illos studio dato operam ut de illa animi pravitate deducas. Quorum voluntas erit abs te propter competitorum amicitias alienior, iis

cautela. A política é cheia de falsidade, traição e de má-fé. Não vou começar uma longa discussão sobre como separar verdadeiros amigos de falsos, mas eu quero dar-lhe alguns conselhos simples. Sua boa natureza no passado levou alguns homens a fingirem amizade, enquanto, na verdade, eles estavam com ciúmes; por isso, lembre-se das sábias palavras de Epicharmeion: "Não confie nas pessoas com muita facilidade."

40. Uma vez que você tenha descoberto quem são seus verdadeiros amigos, pense também nos seus inimigos. Existem três tipos de pessoas que se oporão a você: aqueles a quem você prejudicou, um segundo tipo que não gosta de você sem uma boa razão, e os que são amigos íntimos de seus oponentes. Para os que você prejudicou ao advogar para um amigo contra eles, seja gentil e justificativo, lembrando-lhes que você estava apenas defendendo alguém com quem você tinha fortes laços e que você faria o mesmo por eles se fossem seus amigos. Para os segundos, que não gostam de você sem uma boa causa, tente conquistá-los sendo gentil ou fazendo um favor a eles ou demonstrando

quoque eadem inservito ratione qua superioribus et, si probare poteris, te in eos ipsos competitores tuos benevolo esse animo ostendito.

41. Quoniam de amicitiis constituendis satis dictum est, dicendum est de illa altera parte petitionis quae in populari ratione versatur. Ea desiderat nomenclationem, blanditiam, adsiduitatem, benignitatem, rumorem, spem in re publica.

42. Primum quod facis, ut homines noris, significa ut appareat, et auge ut cotidie melius fiat. Nihil mihi tam populare neque tam gratum videtur. Deinde id quod natura non habes induc in animum ita simulandum esse ut natura facere videare. Nam comitas tibi non deest, ea quae bono ac suavi homine digna est, sed opus est magno opere blanditia, quae etiamsi vitiosa est et turpis in cetera vita, tamen in petitione est necessaria. Etenim cum deteriorem aliquem adsentando facit, tum improba est,

preocupação com eles. Quanto ao último grupo, os que são amigos de seus rivais, você pode usar as mesmas técnicas, provando sua benevolência até para aqueles que são seus inimigos.

41. Eu já disse o suficiente sobre o desenvolvimento de amizades políticas, então agora gostaria de me concentrar em impressionar os eleitores em geral. Isso exige que se conheçam os eleitores por seus nomes: o que os agrada. Exige ainda assiduidade, generosidade, opinião e esperança no bem público.

42. Primeiro, nada impressiona mais um eleitor médio do que um candidato que se lembre dele, então trabalhe todos os dias para lembrar nomes e rostos. Agora, meu irmão, você tem muitas maravilhosas qualidades, mas aquelas que lhe faltam, você deve adquirir e fazê-las parecer como suas desde que nasceu. Você tem boas maneiras e é sempre cortês, mas pode ser bastante duro às vezes. Você precisa realmente aprender a arte da lisonja – uma coisa vergonhosa na vida normal, mas essencial quando se concorre a um pleito eleitoral. Se você usar a lisonja

cum amiciorem, non tam vituperanda, petitori vero necessaria est, cuius frons et vultus et sermo ad eorum quoscumque convenerit sensum et voluntatem commutandus et accommodandus est.

43. Iam adsiduitatis nullum est praeceptum, verbum ipsum docet quae res sit. Prodest quidem vehementer nusquam discedere, sed tamen hic fructus est adsiduitatis, non solum esse Romae atque in foro sed adsidue petere, saepe eosdem appellare, non committere ut quisquam possit dicere, quod eius consequi possis, si abs te non sit rogatum et valde ac diligenter rogatum.

44. Benignitas autem late patet. Est in re familiari, quae quamquam ad multitudinem pervenire non potest, tamen ab amicis si laudatur, multitudini grata est; est in conviviis, quae fac et abs te et ab amicis tuis concelebrentur et passim et tributim; est etiam in opera, quam pervulga et communica, curaque ut aditus ad te diurni nocturnique pateant,

para corromper um homem, não há desculpa para isso, mas se você usar a depreciação como uma maneira de fazer amigos políticos, isso é aceitável. Um candidato deve ser prático, adaptando-se a cada pessoa que ele encontra, mudando sua expressão e fala conforme necessário.

43. Não saia de Roma! Ser assíduo significa ficar parado, e é assim que você deve fazer. Não há tempo para férias durante uma campanha. Estar presente em Roma e no Fórum, falando constantemente com os eleitores, depois conversar com eles novamente no dia seguinte e no seguinte também. Nunca deixe ninguém ter razões para dizer que você não deu sua sincera e devida atenção durante a campanha.

44. A generosidade também é requisito de um candidato. Existe na relação familiar, mesmo que isso não atinja a maioria dos eleitores diretamente. As pessoas gostam de ouvir que você é bom para seus amigos em eventos como banquetes, deixe claro para os líderes de cada tribo que você e seus aliados os celebram com frequência. Outra maneira de mostrar que você é genero-

neque solum foribus aedium tuarum sed etiam vultu ac fronte, quae est animi ianua; quae si significat voluntatem abditam esse ac retrusam, parvi refert patere ostium. Homines enim non modo promitti sibi, praesertim quod a candidato petant, sed etiam large atque honorifi ce promitti volunt.

45. Qua re hoc quidem facile praeceptum est, ut quod facturus sis id significes te studiose ac libenter esse facturum; illud difficilius et magis ad tempus quam ad naturam accommodatum tuam, quod facere non possis, ut id aut iucunde neges aut etiam non neges quorum alterum est tamen boni viri, alterum boni petitoris. Nam cum id petitur, quod honeste aut sine detrimento nostro promittere non possumus, quo modo si qui roget ut contra amicum aliquem causam recipiamus, belle negandum est, ut ostendas necessitudinem, demonstres quam moleste feras, aliis te rebus exsarturum esse persuadeas.

so é estar disponível dia e noite para aqueles que precisam de você. Mantenha as portas da sua casa abertas, é claro, mas também abra o rosto e a expressão, pois estas são a janela para a alma. Se, por um acaso, indicar que a boa vontade está escondida e fechada, pouco importa, consinta sua abertura. As pessoas não querem apenas compromissos de um candidato, mas que ele se ofereça de maneira engajada e generosa.

45. Eis então o preceito que você deve seguir: o que tiver de fazer, disponha-se a fazer com zelo e com prazer. Mas às vezes é preciso fazer algo muito difícil, especialmente para você que é um homem de boa natureza. O que não puder fazer, como certos pedidos, ou amavelmente recuse, ou ainda não recuse de todo. A primeira opção é a dos bons cidadãos e a segunda, dos candidatos políticos. Quando alguém lhe pedir para fazer algo impossível, como tomar partido contra um amigo, você deve, é claro, recusar com elegância, explicando que há um compromisso com outra causa, expressando seu pesar em recusar o pedido e prometendo que você vai fazer isso para ele de outra maneira.

46. Audivi hoc dicere quendam de quibusdam oratoribus, ad quos causam suam detulisset, gratiorem sibi orationem eius fuisse qui negasset quam illius qui recepisset. Sic homines fronte et oratione magis quam ipso beneficio reque capiuntur. Verum hoc probabile est, illud alterum subdurum tibi homini Platonico suadere, sed tamen tempori consulam. Quibus enim te propter aliquod officium necessitudinis adfuturum negaris, tamen ii possunt abs te placati aequique discedere; quibus autem idcirco negaris, quod te impeditum esse dixeris aut amicorum hominum negotiis aut gravioribus causis aut ante susceptis, inimici discedunt omnesque hoc animo sunt ut sibi te mentiri malint quam negare.

47. C. Cotta, in ambitione artifex, dicere solebat se operam suam, quod non contra officium rogaretur,

46. Ouvi uma história de uma pessoa que consultou vários advogados pedindo que defendessem o seu caso. Contou que os termos que ouviu dos casos que tinham sido recusados eram mais agradáveis do que os usados para aceitá-los. Assim, os homens são mais sensíveis à aparência e às palavras bem-vindas do que à realidade do próprio benefício. Mas o preceito de recusa cortês, você aprovaria sem dificuldade; o outro, o da não recusa, seria um pouco difícil fazê-lo admitir, um platonista como você! Ainda assim, estou lhe dizendo o que você precisa ouvir como candidato a um cargo público. De fato, as pessoas a quem você recusou sua assistência por causa de algum dever de amizade podem, apesar de tudo, deixar você sem rancor; mas a quem você recusou dizendo que estava impedido pelos assuntos de seus amigos, ou por causas mais sérias, ou com os quais você havia se comprometido antes, esses vão embora irritados. Todo mundo é assim: gostamos mais de uma mentira do que de uma recusa.

47. C. Cotta, um mestre na arte de campanha, costumava dizer que prometia sua assistência a todos, sem que

polliceri solere omnibus, impertire iis apud quos optime poni arbitraretur; ideo se nemini negare, quod saepe accideret causa cur is cui pollicitus esset non uteretur, saepe ut ipse magis esset vacuus quam putasset; neque posse eius domum compleri qui tantum modo reciperet quantum videret se obire posse; casu fieri ut agantur ea quae non putaris, illa, quae credideris in manibus esse ut aliqua de causa non agantur; deinde esse extremum ut irascatur is cui mendacium dixeris.

48. Id, si promittas, et incertum est et in diem et in paucioribus; sin autem neges, et certe abalienes et statim et plures. Plures enim multo sunt qui rogant ut uti liceat opera alterius quam qui utuntur. Qua re satius est ex his aliquos aliquando in foro tibi irasci quam omnis continuo domi, praesertim cum multo magis irascantur iis qui negent, quam ei quem videant ea ex causa impeditum, ut facere quod promisit cupiat si ullo modo possit.

essas promessas demonstrassem uma obrigação clara, mas apenas cumpriria as que o beneficiassem. Ele raramente recusava promessa a alguém, porque dizia que muitas vezes a pessoa a quem ele prometia acabaria não precisando dele. Assim ele próprio teria mais tempo disponível do que ele pensava para eventualmente ajudar. Afinal, se um candidato fizer apenas promessas que tem certeza de poder cumprir, ele não terá muitos eleitores. Além do mais, eventos que você não espera estão sempre acontecendo e os que você espera muitas vezes não acontecem. Promessas quebradas se perdem em meio a circunstâncias nebulosas, de tal modo que a raiva contra você será mínima.

48. O risco de prometer é este: uma vez feita, a promessa é tão incerta quanto a sua hora, e ainda assim é apenas para poucos casos. Contudo, se, ao contrário, você se recusa a fazer uma promessa, o resultado é certo: tanto afastaria as pessoas imediatamente quanto as multiplicaria. A maioria dos que pede sua ajuda nunca precisarão dela. Assim, é melhor ter algumas pessoas no Fórum desapontadas quando você as decepciona do

49. Ac ne videar aberrasse a distributione mea, qui haec in hac populari parte petitionis disputem, hoc sequor, haec omnia non tam ad amicorum studia quam ad popularem famam pertinere, et si inest aliquid ex illo genere, benigne respondere, studiose inservire negotiis ac periculis amicorum, tamen hoc loco ea dico, quibus multitudinem capere possis, ut de nocte domus compleatur, ut multi spe tui praesidii teneantur, ut amiciores abs te discedant quam accesserint, ut quam plurimorum aures optimo sermone compleantur.

que ter uma multidão fora de sua casa quando você se recusa a prometer-lhes o que querem. As pessoas, por natureza, ficarão muito mais irritadas com um candidato que as rejeitou alegando que adoraria ajudá-los se ele realmente pudesse.

49. Não pense que me afastei de meu tópico ao discutir as promessas com o fim de conquistar as massas numa campanha eleitoral, já que isso se relaciona à sua fama popular – e está contido dentro do eleitorado mais amplo –, assim como concerne ao apoio eleitoral de amigos. Este último grupo requer de você respostas amáveis e serviço zeloso quando necessário. Por ora, estou falando sobre o público em geral. Você deve trazer esses eleitores para o seu lado, para que você possa preencher sua casa com apoiadores antes do amanhecer e, com muita esperança de proteção, possa prendê-los a você e deixá-los ir embora mais entusiasmados do que quando chegaram, assim muito mais pessoas ouvirão coisas boas sobre você.

50. Sequitur enim ut de rumore dicendum sit, cui maxime serviendum est. Sed quae dicta sunt omni superiore oratione, eadem ad rumorem concelebrandum valent, dicendi laus, studia publicanorum et equestris ordinis, hominum nobilium voluntas, adolescentulorum frequentia, eorum qui abs te defensi sunt adsiduitas, ex municipiis multitudo eorum, quos tua causa venisse appareat, bene te ut homines nosse, comiter appellare, adsidue ac diligenter petere, benignum ac liberalem esse et loquantur et existiment, domus ut multa nocte compleatur, omnium generum frequentia adsit, satis fiat oratione omnibus, re operaque multis; perficiatur id quod fieri potest labore et arte ac diligentia, non ut ad populum ab his omnibus fama perveniat sed ut in his studiis populus ipse versetur.

51. Iam urbanam illam multitudinem et eorum studia qui contiones tenent adeptus es in Pompeio ornando,

50. Você deve sempre pensar em divulgação pública com bastante rumor. Eu tenho falado sobre isso ao longo de toda a minha carta, mas é vital que você use toda sua habilidade de discurso a fim de fortalecer o rumor da fama de sua campanha para o maior público: a ordem equestre, o beneplácito dos homens nobres, a afluência dos adolescentes, todos os defendidos que são assíduos, a população dos municípios, os que se mostram presentes por sua causa eleitoral, eleitores bem conhecidos com benevolência por você, pelo zelo e assiduidade com que você se dirige a eles como pessoa graciosa e generosa. Isso vai encher sua casa com apoiadores eleitorais de todos os tipos antes do nascer do sol. Tenha esses grupos por perto com frequência. Para esses cidadãos satisfeitos com suas promessas, há mais do que a simples realização: há o seu esforço incansável, método hábil e zelo, para que sua reputação não chegue ao povo por todas estas coisas, mas que o próprio povo aplique-se a estes esforços.

51. Você já tem o apoio da população romana e daqueles que a influenciam pelo seu louvor a Pompeius e na

Manili causa recipienda, Cornelio defendendo: excitanda nobis sunt, quae adhuc habuit nemo quin idem splendidorum hominum voluntates haberet. Efficiendum etiam illud est ut sciant omnes Cn. Pompei summam esse erga te voluntatem et vehementer ad illius rationes te id assequi quod petis pertinere.

52. Postremo tota petitio cura ut pompae plena sit; ut inlustris, ut splendida, ut popularis sit, ut habeat summam speciem ac dignitatem, ut etiam si quae possit ne competitoribus tuis existat aut sceleris aut libidinis aut largitionis accommodata ad eorum mores infamia.

53. Atque etiam in hac petitione maxime videndum est ut spes rei publicae bona de te sit et honesta opinio; nec tamen in petendo res publica capessenda est neque in senatu neque in contione, sed haec tibi sunt retinenda ut senatus te existimet ex eo quod ita vixeris defensorem auctoritatis suae fore, equites et viri boni ac locupletes ex vita acta te studiosum oti ac

defesa das causas de seus partidários, Manilius e Cornelius. Você deve agora fazer o que ninguém fez antes e adicionar à sua base popular o apoio da nobreza. Mas nunca pare de lembrar às pessoas comuns que você ganhou a boa vontade do grande Pompeius e que agradaria muito a ele você tornar-se cônsul.

52. Finalmente, no que diz respeito à demanda das massas romanas, não deixe de fazer uma sessão de jogos públicos. Dignificados sim, mas cheios de cor e espetáculo que tanto atraem as multidões. Também não faria mal lembrá-las de como desonestos seus oponentes são e apontar nesses homens, em todas as oportunidades, os crimes, escândalos sexuais e corrupção que praticam.

53. A parte mais importante da sua campanha é trazer esperança para as pessoas e um sentimento de boa vontade para com você. Por outro lado, na demanda pública, você não deve fazer promessas específicas nem ao Senado nem ao povo. Interesses devem ser conservados. Diga ao Senado que você manterá sua autoridade e privilégios tradicionais. Deixe os cavalei-

rerum tranquillarum, multitudo ex eo quod dumtaxat oratione in contionibus ac iudicio popularis fuisti, te a suis commodis non alienum futurum.

54. Haec veniebant mihi in mentem de duabus illis commentationibus matutinis, quod tibi cotidie ad Forum descendenti meditandum esse dixeram: "Novus sum, consulatum peto." Tertium restat: "Roma est," civitas ex nationum conventu constituta, in qua multae insidiae, multa fallacia, multa in omni genere vitia versantur, multorum adrogantia, multorum contumacia, multorum malevolentia, multorum superbia, multorum odium ac molestia perferenda est. Video esse magni consili atque artis in tot hominum cuiusque modi vitiis tantisque versantem vitare offensionem, vitare fabulam, vitare insidias, esse unum hominem accommodatum ad tantam morum ac sermonum ac voluntatum varietatem.

ros, os cidadãos bons e ricos pensarem nas suas ações, conforme já viveu outrora, na defesa da estabilidade e da paz. Assegure às pessoas comuns que você sempre esteve do lado delas, tanto em seus discursos quanto na defesa de seus interesses no tribunal, e que no futuro não será diferente.

54. Tais coisas me ocorreram em relação às duas primeiras meditações matinais que sugeri a você enquanto descesse ao Fórum: "Sou um homem novo. Quero o consulado." Agora, permito-me brevemente à terceira: "Roma é a meta." Nossa cidade é constituída de uma reunião de nações estrangeiras variadas, onde há muitas ciladas, conspirações e vícios de todos os tipos. Para qualquer lugar que você se volte, verá arrogância, teimosia, malevolência, orgulho e ódio. Em meio a tal redemoinho do mal, é preciso um homem notável com bom senso e grande habilidade para evitar tropeços, mentira e traição. Quantos homens poderiam manter sua integridade enquanto se adaptam a várias maneiras de se comportar, falar e sentir?

55. Qua re etiam atque etiam perge tenere istam viam quam institisti, excelle dicendo. Hoc et tenentur Romae et adliciuntur et ab impediendo ac laedendo repelluntur. Et quoniam in hoc vel maxime est vitiosa civitas, quod largitione interposita virtutis ac dignitatis oblivisci solet, in hoc fac ut te bene noris, id est ut intelligas eum esse te qui iudicii ac periculi metum maximum competitoribus adferre possis. Fac se ut abs te custodiri atque observari sciant; cum diligentiam tuam, cum auctoritatem vimque dicendi tum profecto equestris ordinis erga te studium pertimescent.

56. Atque haec ita volo te illis proponere non ut videare accusationem iam meditari, sed ut hoc terrore facilius hoc ipsum quod agis consequare. Et plane sic contende omnibus nervis ac facultatibus ut adipiscamur quod petimus. Video nulla esse comitia tam inquinata largitione quibus non gratis aliquae centuriae renuntient suos magno opere necessarios.

55. Por isso, persevere constantemente em reter este caminho que você instituiu, dizendo a si mesmo: "Vencerei como orador." Atenha-se nisso em Roma. É no discurso que se afastam os entraves e não só se rechaçam os aliciadores, como ainda as injúrias. E como o defeito mais grave de nossa cidade é costumar esquecer regularmente o mérito e a dignidade e interpor o suborno, aja contra isso, porque você conhece bem essas coisas. E saiba o que deve ser observado e garantido, isto é, o pavor ameaçador que você pode levar aos seus rivais. Com sua autoridade e poder de discurso de um cavaleiro, um dignatário de júris, certamente será pela causa pública ameaçador.

56. Você não precisa levar seus oponentes a julgamento por acusações de corrupção, apenas os avise de que você está disposto a fazê-lo. Com este terror à letra da lei, é mais fácil que você alcance seu objetivo do que com o litígio real. Além disso, claramente se esforce com todos os nervos e seus recursos para que consiga o que pleiteia na votação. Vejo que nenhum comício

57. Qua re si advigilamus pro rei dignitate et si nostros ad summum studium benevolos excitamus et si hominibus studiosis gratiosisque nostri suum cuique munus discribimus et si competitoribus iudicium proponimus, sequestribus metum inicimus, divisores ratione aliqua coercemus, perfici potest ut largitio nulla sit aut nihil valeat.

58. Haec sunt quae putavi non melius scire me quam te sed facilius his tuis occupationibus conligere unum in locum posse et ad te perscripta mittere. Quae tametsi ita sunt scripta ut non ad omnis qui honores petant sed ad te proprie et ad hanc petitionem tuam valeant, tamen tu si quid mutandum esse videbitur aut omnino tollendum aut si quid erit praeteritum velim hoc mihi dicas; volo enim hoc commentariolum petitionis haberi omni ratione perfectum.

eleitoral está tão corrompido pelo suborno quanto certas centúrias, que, não de graça, anunciam, com todo seu apoio, os candidatos que mais lhes convêm.

57. Assim, se você está alerta ao que esta campanha exige; se você inspirar seus apoiadores; se você escolher os homens certos para trabalhar com você; se você ameaçar seus oponentes com acusações para apurar seus tesoureiros; se criar medo entre seus agentes; e restringir aqueles que distribuem seu dinheiro, você pode superar o suborno ou pelo menos minimizar seus efeitos.

58. É tudo o que tenho a dizer, meu irmão. Não que eu saiba mais sobre política e eleições do que você, mas percebo o quão ocupado você está e então pensei que eu poderia facilmente definir essas regras simples por escrito. Naturalmente, eu nunca diria que esses preceitos se aplicam a todos que buscam um cargo político – eles são feitos apenas para você –, mas agradeceria se você tivesse quaisquer acréscimos ou sugestões apenas por precaução, pois eu quero que este breve comentário sobre candidatura fique perfeito em todo o seu método.

O RESULTADO DAS ELEIÇÕES

Marcus Cicero venceu a corrida para cônsul, recebendo mais votos do que qualquer outro candidato. Antonius ganhou por pouco de Catilina para o outro assento consular. Catilina tornou a concorrer no ano seguinte, mas foi mais uma vez derrotado, o que o levou a conspirar para formar um exército e derrotar violentamente a República. Na sua função de cônsul, Cicero desmascarou a conspiração e convenceu o Senado a declarar guerra contra Catilina, que, em seguida, foi morto em combate. Por suas ações, Cicero foi chamado de *Pater Patriae* (Pai da Pátria), um título que ele carregou orgulhosamente pelo resto da vida enquanto lutava para preservar o poder do Senado contra a ascensão de generais e ditadores.

Quintus foi eleito pretor dois anos depois do seu irmão ser escolhido cônsul. Ele serviu como governador romano na Ásia (na moderna Turquia) durante três anos, recebendo longas cartas de aconselhamento de Marcus, que permaneceu em Roma. Quintus mais tarde serviu como um bravo e competente comandante de Julius Caesar durante as Guerras da Gália, embora ele tenha se voltado contra Caesar e apoiado Pompeius na guerra civil subsequente. Caesar o perdoou, mas Marcus Antonius e Otaviano não foram tão clementes quando chegaram ao poder depois dos idos de março. Em 4 a.C., Quintus e seu irmão Marcus foram assassinados enquanto a própria República morria e o Império romano surgia em seu lugar.

GLOSSÁRIO

AMIGOS do latim *amici*. O termo tem um sentido amplo, que inclui de aliados políticos com base em interesse mútuo até amigos verdadeiros.

ANTONIUS Gaius Antonius Hybrida, um antigo seguidor do ditador Sulla, expulso do Senado em 70 a.C. Quatro anos depois, Cicero o ajudou a ser eleito pretor. Porém, na eleição para cônsul de 64, ele se aliou a Catilina.

CATILINA Lucius Sergius Catilina. Partidário de Sulla, ele tinha servido como pretor quatro anos antes, e, em seguida, cumpriu um mandato notoriamente corrupto como governador no Norte da África.

CENSORES Dois magistrados veteranos que controlavam a filiação no Senado, retirando os membros que eram julgados culpados de atividades ilegais ou imorais.

CENTÚRIAS E TRIBOS Divisões de cidadãos romanos para votar nas eleições.

CIDADES ITALIANAS do latim *municipia*. Eram comunidades autogovernadas com cidadania romana. Cicero vinha de uma destas cidades.

ORDEM EQUESTRE do latim *equites*. Grupo de homens do segundo escalão por trás dos senadores. Era, geralmente, diversificado e se interessava mais pelo dinheiro do que pela política. No entanto, podia influenciar nas eleições quando via alguma ameaça à estabilidade e à liberdade de obter lucros. Cicero vinha dessa camada e dependia fortemente do seu apoio.

CÔNSULES Dois eram eleitos anualmente para servir como comandantes em chefe civis e militares da República romana. Participar desta elite e ciosamente protegida fraternidade tornava um homem e seus descendentes membros da nobreza romana.

GLOSSÁRIO

COLETORES DE IMPOSTOS do latim *publicani*. Homens de negócios que competiam por contratos em leilões, inclusive recolhimento de impostos. Eles se tornaram muito ricos e alcançaram enorme poder na República romana.

CORNELIUS Gaius Cornelius. Serviu como tribuno em 67 a.C. e aprovou leis para limitar o poder do Senado. Foi perseguido em 65, mas defendido com sucesso por Marcus Cicero.

COTTA Gaius Aurelius Cotta; eminente orador que apoiou Sulla e se tornou cônsul em 75 a.C.

DEMOSTHENES O maior orador da Grécia antiga (384-322 a.C.), venceu a pobreza e um defeito de fala para alcançar o poder. Ele era um herói e um modelo para Marcus Cicero.

EPICHARMUS Um escritor grego de comédias do século 5 a.C.

FÓRUM De modo geral, um mercado ao ar livre no centro de qualquer cidade romana. O Fórum de Roma era o foco da vida política bem como da vida comercial da cidade.

GAIUS COELIUS Tribuno em 107 a.C., ele foi o primeiro de sua família a alcançar o posto de cônsul, em 94 a.C.

MAGISTRADOS do latim *collegia*. Podiam ser associações de classe, mas também clubes sociais ou organizações políticas. Eles detinham grande poder informal e, às vezes, usavam de violência para proteger seus interesses.

HOMEM NOVO do latim *novus homo*. O dizer *Novus sum* (sou um homem novo) fala de uma condição sem origem nobre ou patrícia, sem histórico de cônsules na família. É preciso muito mérito através de um *cursus honorum* (progressão por mérito), para alcançar a posição de cônsul, como ocorreu com pouquíssimos *homines novi*.

GLOSSÁRIO

MANILIUS Gaius Manilius foi eleito tribuno em 66 a.C. Foi autor de uma lei popular para o povo romano por distribuir escravos libertos entre as tribos eleitoras, embora ela fosse logo anulada pelo Senado. Ele era aliado de Pompeia e conferiu a ele comando supremo contra o rei asiático Mithridates e os piratas mediterrâneos. Ele foi perseguido pelos inimigos de Pompeia, mas Marcus Cicero, como pretor, adiou o processo como um favor a ele.

MARCUS MARIUS sobrinho do famoso general Gaius Marius, ele serviu como pretor em 85 a.C. e anunciou planos para reformar a cunhagem das moedas. Popular com o povo, foi assassinado por seu cunhado Catilina na frente do túmulo de Quintus Lutatius Catulus, um inimigo ferrenho de Gaius Marius.

NOBREZA do latim *nobiles*. Homens que tinham sido cônsules ou cujos ancestrais tinham exercido o cargo. Eles eram os governantes aristocráticos da República romana.

ASSOCIAÇÕES do latim *sodalitates*. Como os *collegia*, tratava-se de grupos sociais ou religiosos, mas o termo era usado também para gangues de eleitores que usavam de violência para promover seus candidatos favoritos.

PLATÃO filósofo grego (429-347 a.C.) que acreditava que havia um mundo mais real e duradouro por trás das meras aparências.

POMPEIUS Gnaeus Pompeius Magnus (106-48 a.C.), um vitorioso general romano de grande riqueza e popularidade entre o público em geral.

PRETOR um magistrado romano posicionado somente atrás do cônsul em termos de poder e de prestígio.

POPULARES do latim *populares*. Homens que usavam as assembleias populares para promulgar leis e ganhar apoio político das massas. A diferença entre eles e os nobres *optimates* era principalmente uma questão de

GLOSSÁRIO

recursos, não de ideologia, já que ambos desejavam o poder acima de tudo.

SULLA Lucios Cornelius Sulla (138-78 a.C.), ditador romano que legalizou o assassinato através de listas de interdição daqueles que considerava inimigos do Estado.

NOBRES do latim *optimates*; aqueles que desejavam acima de tudo preservar o *status quo*, especialmente o poder e os privilégios do Senado.

TRIBUNOS DA PLEBE Como magistrados tinham por obrigação proteger a vida e as propriedades da pessoa comum. Eles podiam derrubar um ato de um magistrado ou de uma assembleia com a palavra *veto* ("eu proíbo").

ELEIÇÕES, DESDE A ROMA ANTIGA, UM JOGO DE PODER, PAIXÃO – E CORRUPÇÃO

Newton Bignotto

Desde a Antiguidade, eleições são acontecimentos especiais na vida dos cidadãos dos regimes republicanos e democráticos. Momentos em que uma parte importante da população tem a oportunidade de influir nos rumos da sociedade na qual vive despertam paixões e esperanças. Do lado dos eleitores, tudo se passa como se uma janela se abrisse e uma nova vida fosse possível. Participar, ainda que apenas por meio do voto individual, da escolha dos que serão responsáveis por decisões importantes para a comunidade sempre foi visto como algo que deve ser levado a sério. Da parte dos que disputam cargos, o ritual das eleições é o mecanismo que lhes permite imprimir à sociedade a marca de suas crenças. Esse quadro ideal do papel das eleições nas sociedades livres do presente e do passado esconde, no entanto, uma realidade muito mais complexa. Em sociedades de massa como as nossas, não é incomum que uma parte significativa do eleitorado se desinteresse pela escolha dos dirigentes por ver no processo eleitoral apenas uma farsa para esconder a face real da dominação exercida pelos mais fortes. Candidatos, por seu lado, costumam travestir seus discursos com projetos destinados a melhorar a vida de todos quando, muitas vezes, visam apenas ocupar o poder para realizar seus desejos particulares. O entrelace entre paixões e razões, que aflora nos processos eleitorais, faz desses acontecimentos um objeto fascinante de estudo.

Em que pese, no entanto, o fato de que cada vez mais a vida política é tratada por meio de técnicas de marketing político e o fato de que as ciências sociais acumularam um grande número de estudos sobre o assunto, paira no ar certo tabu sobre os mecanismos internos de uma campanha eleitoral. Ocultar as ações levadas a cabo pelos candidatos e seus apoiadores parece ser um imperativo para os que desejam chegar ao poder. Maquiavel até hoje é criticado por ter analisado em suas obras, no século XVI, os momentos de conquista e manutenção do poder com as lentes da razão. Muito antes dele, Quintus Cicero escreveu uma carta para seu irmão na qual aborda de maneira franca os meandros de uma campanha eleitoral. De forma inédita e corajosa, ele procurou responder à pergunta que tantos fizeram ao longo dos tempos: afinal, como devemos proceder para ganhar uma eleição?

O texto de Quintus Cicero, no qual ele procura responder a essa questão, foi provavelmente escrito no ano 64 a.C., quando seu irmão, Marcus Tullius Cicero, se candidatou ao posto mais alto da República romana, o consulado. Ainda hoje há dúvidas quanto à autoria da carta. Alguns estudiosos, servindo-se de ferramentas de análise filológica, afirmaram que o escrito deve ter sido produzido por um autor desconhecido, talvez até mesmo em uma época diferente daquela à qual o texto se refere. Outros cogitaram que o próprio Marcus seria o escritor da carta supostamente endereçada a ele. Especialistas de história romana propuseram que o *Manual* não passa de um exercício retórico de algum romano dos primeiros séculos de nossa era interessado em aprender a arte da persuasão. Ainda que não seja possível dirimir totalmente as dúvidas quanto à autoria do texto, nos alinhamos aos que afirmam que ele é de fato um escrito de Quintus. Seja como for, seu interesse é muito maior para nós hoje por causa de seu conteúdo do que pelo suposto mistério de sua origem.

Marcus era, naquele tempo, o orador mais famoso de Roma e um homem conhecido em muitas partes dos vastos domínios de sua cidade. Longe de ser um neófito na política, vinha se dedicando a ela há muito tempo. Plutarco, o historiador grego que nos legou uma série de biografias de personalidades famosas da Antiguidade, diz que em 75 a.C. ele ocupou o cargo de questor (funcionário que no mais das vezes se ocupava de questões financeiras do governo) na Sicília. Nessa ocasião, ele tomou conhecimento das duras condições de vida dos cidadãos da ilha e, também, da importância para um ator político de se manter íntegro e firme em seus propósitos de servir à pátria. Nos anos seguintes, sua vida pública continuou movimentada. Seguindo o que os romanos chamavam de "curso das honrarias", ocupou diversas magistraturas, que fizeram dele um homem vivido quando, aos 42 anos, resolveu tentar se elevar ao posto mais alto da República.

A vida política romana era pautada por muitas assembleias (*comitia*), que serviam para designar os dirigentes mais importantes da República. Existiam reuniões de vários tipos, o que fazia da participação nos negócios públicos uma atividade intensa e exigente. Em alguns anos, os cidadãos podiam ser convocados vinte vezes para votar. As assembleias mais importantes eram aquelas das "centúrias" (*comitia centuriata*) e as das "tribos" (*comitia tributa*). As primeiras eram as mais poderosas, pois designavam os cônsules, os pretores e os censores, enquanto as assembleias por "tribos" tinham um papel essencial no cotidiano da cidade por indicar os ocupantes de várias magistraturas. Elas importavam também por ser o mecanismo pelo qual as diversas tribos – em Roma, havia quatro tribos urbanas e 31 rurais – influenciavam os rumos da cidade. Naquele ano, Marcus Cicero era candidato ao posto de cônsul e, portanto, devia conquistar os votos das "centúrias", que eram compostas por cidadãos de todas as classes sociais, mas que conferiam maior poder aos que eram membros dos estratos mais poderosos e influentes da cidade.

A carta não contém o enunciado das regras das eleições, pois era claro que um pretendente ao cargo as conheceria. O que o autor pretende é mostrar como se deve levar a cabo um processo de conquista de votos fazendo uso dos caminhos possíveis dentro da legislação vigente. Pode parecer estranho que Quintus relembre a qualidade de "homem novo" do irmão logo no começo do texto. Em Roma, esse termo designava o membro de uma família que pertencia à "ordem equestre", que, em geral, se ocupava dos negócios e do comércio, mas tinha um status inferior à "ordem senatorial". No século I a.C., os cavaleiros, como eram chamados os que pertenciam à "ordem equestre", eram pessoas de posses, mas que não faziam parte das famílias cuja história se confundia com a da cidade. Sem ser uma regra absoluta, podemos dizer que o poder na cidade era separado entre os que faziam política e os que faziam negócios. A família dos Cicero tinha amealhado uma fortuna respeitável, mas, seguindo a tradição, deveria esperar ainda uma geração para fazer a transição para os altos cargos da República. Embora não houvesse propriamente uma proibição de migração de alguém como Cicero para o Consulado e, depois, para o Senado, os romanos procuravam separar as coisas e, diríamos hoje, manter o poder político independente do poder econômico. Como estamos acostumados a ver candidatos aos altos cargos políticos se unirem de maneira direta aos donos do dinheiro, os conselhos do autor podem parecer estranhos ou simplesmente anacrônicos. No entanto, os romanos pareciam compreender melhor do que nós o perigo de entregar o poder nas mãos dos detentores das riquezas. Em Roma, na maior parte do tempo, o mando político estava acima do poder econômico.

Quintus não tinha a pretensão de ser um teórico da política como o irmão, mas oferece uma radiografia muito acurada de como se dava a luta pelo poder em seu tempo. Como apontado, para ser eleito, o candidato dependia dos votos das centúrias. Elas eram ao todo 193. Juntas, as compostas pelos cavaleiros de primeira classe e pelos de segunda classe, somavam 118 votos, o que era largamente suficiente para eleger um cônsul, que precisava apenas da maioria simples para ser declarado vencedor. Os votos individuais eram dados no interior da centúria à qual cada membro pertencia, mas o que contava mesmo era o voto do grupo. Assim, o candidato não podia se dar ao luxo de desprezar os cidadãos mais poderosos, pois sem eles simplesmente não seria eleito. Pode parecer-nos hoje um conselho cínico da parte de Quintus sugerir ao irmão se valer de seu prestígio de orador para ganhar a adesão de jovens aristocratas e de velhos senadores. Sem essa manobra, ele julgava que era impossível chegar ao mais elevado degrau do poder. O desafio para um "homem novo" como Marcus era ao mesmo tempo se aproximar da elite da cidade e manter intacto seu prestígio junto às camadas mais pobres da população. Em um sistema eleitoral complexo como era o romano, essa não era uma tarefa fácil.

O *Manual* é uma mistura de conselhos práticos com as profundas convicções republicanas que uniam os irmãos. Prestar atenção aos outros candidatos, atacá-los e se proteger dos seus ataques eram ações essenciais para garantir os votos no dia da eleição. Esses atos não conduziam sozinhos alguém ao verdadeiro poder, que implicava ser uma figura influente sobre toda a sociedade romana. Para chegar a esse patamar, não bastava agradar aos cidadãos proeminentes, era preciso também convencer a um grande número de pessoas que o apoio à candidatura era algo que valia a pena. Para conquistar corações e mentes, Quintus destacava três fatores que ligavam os apoiadores ao pretendente a cônsul: os serviços que o futuro cônsul havia prestado e que não deviam ser esquecidos, a simpatia que ele demonstrava pelas pessoas que o apreciavam e, por fim, o fato de que os eleitores podiam se sentir próximos dele por tê-lo ajudado na disputa pelo cargo.

Aos nossos olhos, Quintus indica um caminho que se assemelha em muito àquele que políticos atuais percorrem para formar uma verdadeira clientela com a qual interagem para garantir seu acesso ao poder. Há algo de verdadeiro nessa observação. É preciso, no entanto, levar em conta as motivações de alguém como Marcus Tullius Cicero e as peculiaridades da política de seu tempo. Uma campanha eleitoral (*petitio*) tinha várias fases, e muitos candidatos começavam a pedir votos antes do período autorizado pela lei. Como hoje em dia nas democracias, os candidatos faziam um tour até os grupos diversos aos quais desejavam solicitar o apoio (*ambitus*) e efetuavam um verdadeiro corpo a corpo com os eleitores, distribuindo cumprimentos e afagos (*prensatio*). Diferentemente, no entanto, da maneira como procedemos hoje, não havia comícios públicos, pois só os magistrados podiam convocar o povo para uma reunião ampla. À luz dessas observações é que devemos ler o texto de Quintus. Sendo bom conhecedor das práticas políticas romanas, ele traça um roteiro para que o irmão se mostre para a cidade junto com seus apoiadores. Esses cortejos eram a ocasião para o candidato afirmar sua pretensão ao poder, mas também para mostrar suas qualidades.

Quintus demonstra uma grande acuidade política ao insistir no papel das aparências. Em momento algum ele duvida dos méritos do irmão. Ele sabe, no entanto, que o importante é convencer os eleitores de suas virtudes, evitando as armadilhas da vaidade e das intrigas, que envenenavam a vida da cidade. Isso não quer dizer que o candidato devesse se esconder, muito pelo contrário. A exposição aos olhares da cidade de certos luxo e esplendor tornava claro aos olhos de todos que estavam diante de um grande homem e não de um simples arrivista, disposto a romper as barreiras sociais a qualquer preço. Poderíamos parafrasear a frase atribuída a Caesar, dizendo que, aos olhos de nosso autor, não bastava ser grande, era necessário parecer grande; não bastava desejar ser popular, era preciso mostrar ao povo que ele defenderia seus interesses em situações de conflito.

Se muitos dos conselhos de Quintus parecem se coadunar, por seu caráter realista e sua feição pragmática, com a maneira como a maior parte dos atores políticos se comporta nos períodos de crise como o que estamos vivendo, é preciso ver que havia uma segunda camada de motivações que sustentava o desejo de Marcus Cicero de ser eleito. Como muitos romanos de seu tempo, ele era um homem vaidoso e ambicioso. Sua grande capacidade retórica nem sempre foi usada para propósitos elevados. Muitos dos inimigos que angariou ao longo da vida foram alvos de gracejos e tiradas em público que os ridicularizou aos olhos da cidade. Mas esse traço de personalidade nem de longe sintetizava a complexidade de sua atuação na arena pública. De um lado, ele era um político pragmático e feroz. Quando ainda era candidato, por exemplo, endereçou uma carta a Atticus, seu grande amigo e cunhado de Quintus, na qual dá vazão à sua ironia contra seus opositores, ao mesmo tempo em que transmite sua inquietude diante dos obstáculos que cresciam depois que se lançara na operação de conquista do poder consular. À luz dessa correspondência, fica claro que os conselhos de Quintus encontravam no irmão um interlocutor atento. Ambos abordavam as eleições como um processo complexo, que exigia uma grande atenção e discernimento perfeito do estado real das forças da cidade. O mestre da oratória sabia que, se podia contar com suas habilidades para ser eleito, não podia se fiar apenas na força de suas palavras.

As aparências eram importantes – mas não eram tudo. Havia também, por trás do comportamento por vezes extravagante do orador, um genuíno apreço pelos valores republicanos. Marcus Cicero foi um dos mais importantes pensadores políticos de seu tempo. Suas obras foram apreciadas na Antiguidade e continuaram a ecoar muito depois do desaparecimento da República romana. Durante o Renascimento italiano, ele foi o pensador mais importante para a constituição do humanismo cívico, que renovou a filosofia política e a ética ocidentais. Suas obras ajudaram a sustentar os argumentos dos humanistas do período em favor da liberdade, da igualdade entre os cidadãos e da participação de todos nos negócios da cidade. Elas foram a ponte que uniu a antiga cultura republicana às correntes de pensamento modernas e contemporâneas que cultivam os mesmos valores. Para compreender a importância dessa herança, é preciso lembrar que Cicero definia a república, que tanto amava, "como a coisa do povo, e por povo deve-se entender não um agrupamento de homens como numa manada, mas um grupo numeroso de homens associados uns aos outros pela adesão à mesma lei e por um interesse comum" (*Da República*, I, XXV). Para unir essa comunidade de interesses, era preciso, segundo ele, um regime que tivesse suas bases fixadas na liberdade: "Pois a liberdade só reside lá onde o povo é soberano; e nada pode ser mais doce do que ela, que se não é para todos, não é mais a liberdade" (*Da República*, I, XXXI). O político pragmático fundava sua ambição em um sólido conjunto de valores. O dom da oratória servia para conquistar apoio popular, mas, para ele, o povo era o fundamento da república e da liberdade e não uma massa de manobra à disposição dos que queriam apenas manipulá-la para realizar seus fins. Como todos os candidatos, ele queria ganhar as eleições. Para isso jogava o jogo de conquista do poder respeitando as regras e se valendo dos conhecimentos que adquirira com a experiência dos meandros da vida política romana. Diferentemente, no entanto, de muitos dos políticos de hoje, a conquista do poder não podia se dar ao preço da destruição das instituições, das leis e da liberdade. O interesse comum não era algo abstrato, mas o que reunia os homens numa comunidade verdadeiramente política. Sem pretender ocupar o lugar do sábio desinteressado, Cicero se mantinha fiel às instituições e aos princípios que as sustentavam. Ele queria conservar a cidade livre dos interesses de pequenos grupos que eventualmente o apoiavam.

O dia das eleições era um grande acontecimento na cidade e comportava muitos riscos para os candidatos. Em geral, as assembleias ocorriam no Campus Martius e eram presididas por um magistrado superior. O ritual era longo e complicado. Começava-se pela leitura dos augúrios, que indicavam, muitas vezes a partir da leitura do voo dos pássaros, se o momento era ou não propício para a tomada de decisões. Anunciados pelos magistrados que dirigiam a cerimônia, eles se prestavam a uma série de manipulações, pois a assembleia podia ser dissolvida pela simples declaração de que o dia não era favorável para a votação, o que muitas vezes era benéfico para um dos candidatos. Terminada essa primeira parte do ritual, o povo era convocado a se dirigir ao local da assembleia. A presença no local era franqueada a todos os cidadãos, o que contribuía para o clima animado e, por vezes, tenso da reunião. A lista dos candidatos era afixada e lida em público. Como nesse momento os presentes ainda estavam todos misturados de forma independente das centúrias às quais pertenciam, o aliciamento de votos era frequente e podia ser decisivo para o resultado final. Isso era possível no século I a.C. também pelo fato de que o voto individual era secreto e registrado em uma tabuleta, que era depois depositada numa pequena urna.

Manter-se fiel a si mesmo e aos princípios que havia defendido ao longo dos anos era, aos olhos de Quintus, essencial para que a campanha eleitoral de

Marcus Cicero fosse bem-sucedida. Ao mesmo tempo, ele lembra ao irmão o estado em que se encontrava a cidade. Roma era, segundo ele, uma cidade "constituída de uma reunião de nações estrangeiras variadas, onde há muitas ciladas, conspirações e vícios de todos os tipos. Para qualquer lugar que você se volte, verá arrogância, teimosia, malevolência, orgulho e ódio." (§ 54). Mais grave ainda, era uma cidade corroída pela corrupção, o que podia ser decisivo numa eleição. Existia naquele tempo uma figura comum na cidade, que lembra nossos "operadores políticos", os chamados repartidores (divisores). A função deles era dividir no interior das "tribos" o dinheiro legal ou, muitas vezes, ilegal que lhes era destinado por meio de doações. Na prática, eles acabavam sendo os verdadeiros agentes da corrupção, sobretudo nas eleições, quando eram feitas imensas distribuições de dinheiro visando sustentar a candidatura de alguém. O problema era tão grave que várias leis foram aprovadas para tentar frear a influência do dinheiro nas eleições, como foi o caso da *Lex Flavia*, que regulava o funcionamento dos banquetes e festas nos quais participavam senadores e membros da classe equestre que, como vimos, eram fundamentais nas eleições consulares. O fato, no entanto, é que Quintus estava consciente disso tudo e sabia que seu irmão precisava escapar dessas armadilhas, usando de todo seu poder de convencimento. Como existiam verdadeiras organizações ilícitas (*sodalicia*) destinadas a influenciar as eleições e um frequente conluio entre candidatos para prejudicar alguns concorrentes (*coitio*), um pretendente ao consulado que ignorasse essa realidade e se portasse de forma ingênua seria irremediavelmente derrotado.

Ao que tudo indica, o *Manual* de Quintus cumpriu seu papel. Marcus Cicero ganhou as eleições e exerceu seu mandato ao longo do ano 63 a.C. Seu período no poder esteve longe de ser uma viagem tranquila. Além dos muitos problemas diários com os quais um cônsul tinha de lidar, ele teve de enfrentar a conspiração organizada por Catilina, seu antigo rival na disputa pelo consulado. Como o Senado no início não levou a sério as acusações que pesavam contra os conspiradores, Marcus Cicero teve de usar de toda sua eloquência e habilidade política para convencer os senadores de que Roma corria grande perigo. Ao final, saiu vitorioso. Os inimigos internos da cidade foram banidos e executados e o grande orador terminou seu mandato aclamado por Cato, outro eminente defensor dos valores republicanos, como o "pai da pátria". Data desse período um dos escritos mais belos de Cicero, *As Catilinárias*, nos quais exerce toda sua arte de persuasão não apenas para provar a culpa dos conspiradores, mas também a força dos valores republicanos que defende.

O sucesso dos irmãos Cicero não deve, no entanto, nos enganar. Depois do período do Consulado, Marcus se tornou um personagem muito influente na vida romana, mas também se viu no meio de muitas disputas, como a que envolveu um jovem aristocrata, Clodius, em favor do qual o pensador se negou a dar um falso testemunho. Isso o levou a um exílio entre março de 58 e agosto de 57 a.C., segundo os relatos de Plutarchus. Quintus não tinha o mesmo brilho do irmão mais velho, mas isso não o impediu de participar ativamente da vida política romana. Em 62 a.C. ocupou o cargo de pretor, relacionado aos procedimentos judiciais. Entre 61 e 59 a.C. foi governador das províncias romanas da

Ásia menor, para depois exercer vários comandos militares sob a liderança de Pompeius e de Caesar.

A intensa participação dos irmãos coincidiu com um período de crise política aguda. Roma vivia os últimos tempos da vida republicana. Plutarchus fez uma descrição dramática desse momento e dos dois homens políticos. Ameaçados de banimento, ambos tentaram se refugiar na Macedônia, onde se encontrava Brutus, outra grande figura pública de Roma. A viagem acabou não ocorrendo, o que foi determinante para a morte dos irmãos. Quintus, que segundo o historiador era o mais abalado pelos acontecimentos, tentou retornar brevemente a Roma para organizar seus negócios privados e acabou sendo traído e morto junto com seu filho. Marcus permaneceu em uma de suas propriedades. Ele tinha então 62 anos e acumulara muita experiência política, mas também muita desilusão com o rumo que tomava a cidade à qual dedicara tanta energia. Acabou sendo degolado por Herennius, um enviado de Antonius, o novo senhor de Roma.

Depois do desaparecimento dos irmãos Cicero, Roma nunca mais voltaria a ser uma república. Apesar disso, conservou por um tempo a prática das assembleias e das eleições, como para nos ensinar que, se as instituições são ferramentas essenciais de uma vida livre, despidas de seus valores e respeito às leis são apenas uma cortina de fumaça para disfarçar a violência do domínio exercido por poucos sobre a vida de todos os habitantes da cidade. Pois, como diz Plutarchus: "Não existe animal mais feroz do que o homem quando junta o poder e a paixão."

Newton Bignotto é professor titular de Filosofia da Universidade Federal de Minas Gerais (UFMG) e autor de livros como *Matrizes do republicanismo* (2013), *As aventuras da virtude* (2010), *Republicanismo e realismo: um perfil de Francesco Guicciardini* (2006), *Origens do republicanismo moderno* (2001), *O tirano e a cidade* (1998) e *Maquiavel republicano* (1991).

Referências Bibliográficas

CLEMENTE, Guido. *Guida alla storia romana*. Milano: Arnoldo Mondadori Editore, 2008.

DAVID, Jean-Michel. *La République romaine*. Paris: Éditions du Seuil, 2000.

GRIMAL, Pierre. *Cicéron*. Paris: Fayard, 1986.

JERPHAGNON, Lucien. *Histoire de la Rome antique*. Paris: Hachette, 2002.

NICOLET, Claude. *Le métier de citoyen dans la Rome républicaine*. Paris: Gallimard, 1976.

PLUTARQUE. *Vies parallèles*. Paris: Garnier-Flammarion, 1996.

VEYNE, Paul. *L'Empire gréco-romain*. Paris: Éditions du Seuil, 2005.

BIBLIOGRAFIA SUGERIDA

CICERO, Quintus Tullius. *Commentariolvm Pettiones*. Paris: Les Belles Lettrres, 1962.

_____. *Correspondance*. Tome I: Première Partie, Lettres Antérieures au Consulat (68-64 av. J.-C.): XII - Q. Tulli Ciceronis.

GAFFIOT, F. *Dictionnaire illustré latin français*. Paris: Hachette, 1934.

GRIMAL, Pierre. *A civilização romana*. Tradução de Isabel St. Aubyn. Lisboa: Edições 70, 1984.

HACQUARD, Georges. *Guide romain antique*. Paris: Hachette, 1952.

HARVEY, Paul. *Dicionário Oxford de literatura clássica: grega e latina*. Tradução de Mário da Gama Kury. Rio de janeiro: Jorge Zahar, 1987.

PARATORE, Ettore. *História da literatura latina*. Tradução de Manuel Losa. Lisboa: Fundação Calouste Gulbenkian, 1987.

SILVA, Amós Coêlho da e MONTAGNER, Airto Ceolin. *Dicionário latino-português*. Petrópolis: Vozes, 2012.

SPALDING, Tassilo Orpheu. *Pequeno dicionário de literatura latina*. São Paulo: Cultrix, 1968.

Este livro foi editado pela Bazar do Tempo, na cidade de São Sebastião do Rio de Janeiro, no inverno de 2018. Foi composto com as tipografias Trajan Pro, Fedra Sans e Fedra Serif e impresso em papel Pólen Soft 80 g/m², na gráfica Rotaplan.

1ª reimpressão, agosto 2022